新 潮 文 庫

さよなら渓谷

吉田修一著

新 潮 社 版

9077

さよなら渓谷

その日の早朝、立花里美《さとみ》は隣家の尾崎宅を訪問した。夫の俊介《しゅんすけ》はまだ眠っており、応対に出たのはパジャマ姿の妻、かなこだった。

「ごめんね。午前中に化粧品が宅配便で届くんだけど、着払いだから代わりに受け取って、代金払っといてもらえません」

相手の事情も聞かずに、里美は五千円をかなこの手に握らせた。

五千円札は気味が悪くなるほど小さく折りたたまれている。手のひらに載せると、幼虫が羽化するかのように膨らんだ。

その後、自宅へ戻った里美は、玄関ドアに用意していたらしいメモ用紙を画鋲《がびょう》で貼《は》りつけた。薄いベニヤ板に、画鋲はブスッと音を立てて刺さった。

このドアから少し離れた場所に、ワゴン車が停められていた。フロントガラス越しに渡辺一彦《かずひこ》は里美の行動を窺《うかが》っていた。ここ数日、里美を監視している記者たちの一人で、後部座席ではカメラマンの大久保が、食べかけのパンを腹に置いたまま、シートを倒して眠っている。

短パンに絞られるような里美の太腿《ふともも》を、渡辺は車内から眺めていた。肉付きのいい白い太腿は、睡眠不足の目にも鮮明で、見ているだけでその柔らかさが伝わってくる。一晩中、車内の冷房はつけっぱなしだった。そのせいで車内の空気は濁り、男たちの汗や靴下の臭《にお》いや、さっき外で歯を磨いたときの残り香が混じり合っている。

里美が家の中に姿を消すと、渡辺はすぐに車を降りた。外のほうが幾分涼しくさえ感じられる。近くに停まっていた他の車からも、二、三人の男たちが降りてきて、眠そうな目を擦《こす》りながら広場の砂利を踏んで里美の家へ近づいていく。

最初に玄関先に辿《たど》り着いた男がメモを確認し、「宅配便宛《あて》だよ！　宅配便へのメモ！」と舌打ちをする。渡辺も念のために男の背後からメモを覗《のぞ》き込んだ。とても大人のものとは思えない拙《つたな》い文字で〈宅配便さんへ　荷物はお隣の尾崎さんへお願いします〉と書かれている。

「今日も暑くなりそうだね～」

「ちょっとした日陰でもあれば楽なんだけどね～」

メモを確認した男たちが短い言葉を交わしながら、また砂利を踏んでそれぞれの車へ戻る。男たちが踏んだ砂利に、足跡は残らない。砂利の隙間《すきま》に生えたたんぽぽの葉を誰かが踏みつけたらしく、乾いた小石が緑色に染まっている。

この砂利敷きの広場をコの字に囲むように、三十戸ほどの平屋家屋が建っている。家屋はどれも古く、軒先には錆《さ》びついたプロパンが設置されている。

中には新しいサッシ戸を取りつけた家屋も見られるが、ほとんどは塗装の剝《は》げた木枠のままの窓が多い。それぞれの区画は、薄いトタン板で仕切られている。ただ、錆びて破れた箇所も目立ち、里美宅と尾崎夫妻宅の間などは、腐食した部分に一本のロープが通されただけになっている。

地元の人たちは、ここを奥団地と呼ぶ。奥というのは地名ではなく、単に町の奥にあるという意味らしい。

正式には「水《みず》の郷《さと》住宅」という市営団地で、土地の材木を利用して第三セクターに造らせたせいか、かなり老朽化はしているが、見ようによっては丁寧な仕事がされてもいる。1区から3区まである団地には、年金生活を送る老夫婦や独居老人も居れば、地元の主産業であるジャッキ工場で共働きする夫婦と子供たち、また里美宅のような母子家庭もあるらしい。

他の市営団地に比べて古く、家賃が安い上、審査が厳しくないこともあって、一時期は暴力団員が暮らす家もあり、物騒な男たちの出入りも激しかったという。そのせいか住民同士の付き合いは稀薄《きはく》で、七、八年ほど前、婦人会の会長を長年務めていた老婦人が亡《な》くなると、毎年恒例だった地元「あじさい祭り」でのバザー参加もなくなり、ますます住民間の付き合いはなくなっている。

それでも、三年ほど前までは、週に一度、野菜の行商トラックが広場に来ており、主婦たちが顔を合わせることもあったらしいが、今では行商のトラックもルートを変え、その機会も失われたそうだ。

この砂利敷きの広場から、アスファルト舗装の道が延びている。団地を囲む林を分断するような緩やかな坂道で、ここをしばらく下りると市道にぶつかり、その市道に沿う形で桂川《かつらがわ》が流れている。片側一車線の市道は、川と交わりそうで交わらず、遠く源流近くまで続く。

この辺りから隣町へ及ぶ全長十キロが、桂川渓谷と呼ばれる。都心から気軽に来られる景勝地として人気も高く、清流と呼ぶにふさわしい清水と砂利の河原、壮麗な岩が調和して、この季節には、青々とした葉が渓流に映り、水面を魅惑的な色に変える。

ただ、この渓流を抜ける涼風が団地まで吹き上がってくることはない。

○

真夏の早朝、すでに気温は上がっている。周囲の林で鳴く蟬《せみ》の声が、また暑くなるだろう一日を、憂《うれ》えるように響く。

窓を締め切った室内にも、蟬の声は聞こえた。カーテンの隙間から砂利敷きの広場を覗いていた尾崎俊介は、ワゴン車の横で日差しに目を細めながら煙草《たばこ》を吸った記者が、携帯用の灰皿で火を消して運転席に戻るところまで見てから窓を離れた。

「さっき、誰か来たろ？」

俊介は足元で枕《まくら》を抱えている妻のかなこの寝顔に声をかけた。

室内では扇風機だけが回り、ねっとりとした空気を掻《か》き回している。部屋に年代物のエアコンはついているが、音だけがうるさく、まったく室内を冷やしてくれない。八時五分にセットされた枕元の目覚まし時計は、まだ鳴っていない。

「なぁ、誰か来たろ？」

俊介はもう一度尋ねた。

布団《ふとん》の上で寝返りを打ったかなこが、「外、何台くらいいるの？」と訊《き》く。俊介は、またカーテンの隙間から外を覗き、「四台」と答えた。

「……さっき来たの、まさか記者じゃないだろうな。こんな朝っぱらから」

やけに皺《しわ》くちゃな五千円札が、かなこの枕元に置いてある。俊介が拾い上げようとすると、「さっき来たの、里美さんよ」と、かなこが室内の暑さにうんざりするように答えた。その鼻の下に汗の玉が浮いている。

「何しに？」

俊介はカーテンを閉めたまま、窓だけを開けた。朝の風が吹き込んでくるどころか、むっとするような外気だけが流れ込んでくる。

「宅配便が来るから、代わりに受け取ってくれって」

そう答えたかなこの身体《からだ》を俊介は跨《また》いだ。踏みつけた布団から生温かいかなこの体温が、足の裏に伝わってくる。

「宅配便？」

「そう。化粧品か何か注文したんだって」

「化粧品？　今、そんなもん注文してる場合かな」

俊介は台所に入った。冷たい床が、たった今、踏みつけたかなこの体温を吸い取っていく。冷蔵庫から冷えた珈琲《コーヒー》のボトルを取り出した。氷を入れたグラスに注いだ途端、目覚まし時計が鳴り始める。水の中で鐘が鳴っているような音で、聞いていると逆に眠くなってくる。

目覚ましを止め、トイレに向かうかなこの足音が聞こえる。俊介は食卓の椅子《いす》に腰かけながら、食パンの袋の上にあったリモコンでテレビをつけた。何度かチャンネルを変えると、見知ったこの団地の光景が画面に映る。トイレから水音がはっきりと聞こえる。俊介はテレビのボリュームを少し上げた。

画面には、砂利敷きの広場で、記者やレポーターに囲まれる里美が映っていたが、初めて見る映像ではなかった。顔には相変わらず粗いモザイクが入っている。

「勝手に撮らないで下さい！　何の権利があるんですか！　ここからこっちは私のテリトリーですから！」

画面の中で、里美は唾《つば》を飛ばして怒鳴っている。自分の足元に爪先《つまさき》で線を引き、レンズを睨《にら》みつける。

この女の声は、テレビを通しても品がない。声に、というよりも、おそらくその言葉自体に品性がないのだ、と俊介は思う。

椅子から立って、流しの窓を開けた。サラダ油のボトルを倒さないように、奇妙な格好で腕を捩《ねじ》ったので、筋がつりそうになる。開けた途端、蝉の声が高くなり、外の暑さが汚れ物の残るシンクに流れ込んでくる。

テレビではまだ里美の映像が続いている。土曜日なので、この一週間の出来事をダイジェスト版で伝えているらしい。今、流れているのは、たしか月曜日の様子で、この翌日、里美は買い物についてきたカメラマンに、買ったばかりのミネラルウォーターのボトルを振り回して水をかけた。その映像を、俊介は夕方のニュース番組で見たのだが、カメラレンズが濡《ぬ》れた瞬間、まるで自分が水をかけられたようで、思わず胸元を手で払った。

「もうやってるの……」

いつの間にか横に立っていたかなこが、首筋の汗をタオルで拭《ぬぐ》いながら呟《つぶや》く。夏、窓のないトイレは蒸し風呂《ぶろ》のようになる。

「週末だから、今夜辺り、またヘンなのが集まってくるな」

俊介はテレビの前に立つかなこの尻《しり》を眺めながら言った。下着の線が薄手の短パンにくっきりと浮かんでいる。

「なんか食べてく?」

かなこがテレビを見下ろしたまま訊く。画面の左上に8:09と時間が出ている。ふと先週末の深夜に集まってきた少年たちの声が蘇《よみがえ》る。

「どれだよ？」

「この家じゃね？」

「あ、そうだ。たぶん、これだよ」

「あの女、寝てんのかな」

俊介もかなこもすでに布団に入っていた。窓の外から聞こえてきたのは、まだ子供っぽい少年たちの声だった。

足音が窓の外を通り過ぎると、今度はカツン、カツンと石がぶつかる音がした。音は遠く、隣家の里美宅に投げられているのは分かるのだが、それでも布団の中で目を閉じていると、自分の家に投げられているような気がしてくる。里美が気づいて、少年たちを怒鳴りに出てくる様子を、俊介は思い描こうとした。しかし、浮かんできたのは、少年たちの嫌がらせに気づくこともなく、だらしなく口を開け、眠りを貪《むさぼ》っている里美の寝姿だった。

しばらくすると、舌打ちをしたかなこが布団を出て、カーテンの隙間から外の様子を窺った。

「ほっとけよ」

俊介は注意したが、窓から顔を離さない。

「おい、何してんだ！」

外で男の怒鳴る声が聞こえたのは、そのときだった。ワゴン車に泊まり込んでいる記者の一人が、我慢できずに出てきたらしかった。

少年たちは奇声を発して逃げ出した。少年たちが踏みつける砂利の音が、ザクザクといつまでも俊介の耳に残った。


かなこが焼いてくれた食パンに、俊介はジャムをつけて口に押し込んだ。ジャムは残り少なく、掬《すく》おうとすると瓶の底でスプーンがカツカツと音を立てる。いらないと言ったのに、台所でかなこが目玉焼きを作り始め、コンロの熱が背中に伝わってくる。

下着一枚で腰かけた椅子のビニールがべたべたする。これから数時間、日陰一つないグラウンドに立つのかと思うと、一気に気持ちが萎《な》える。暑さだけでもたまらないのに、汚れたユニフォーム姿の子供たちはうるさく、臭いもしない奇妙な汗を掻く。

午前中、臨時コーチを引き受けている少年野球チームの練習があった。少年野球などこ興味もないのだが、一回五千円なら多少の小遣いにはなるかと引き受けている。

フライパンから皿に移された目玉焼きは、かなり焦《こ》げていた。見るからに黄身もぱさぱさしている。俊介は目玉焼きに手をつけずに席を立った。

庭の物干し竿《ざお》から取り込まれたあと、プラスチック製のカゴに入れられたままのTシャツとジャージを抜き出す。日の匂《にお》いが残っている。

外へ出ると、まだ九時前だというのにひどい暑さだった。強い日差しが、まるで重さを持っているように肩に伸《の》しかかってくる。

俊介は玄関先から自転車を押して歩き出した。砂利敷きの広場へ入ると、もう腋《わき》の下に汗が滲《にじ》んでくる。夏日を浴びた眩《まぶ》しい光景とは裏腹に、辺りはシンと静まり返っている。自分が踏みつける砂利の音だけが、ザクッ、ザクッと辺りに響く。

広場に停まっているワゴン車の中から、「おはようございます」と、以前、話しかけられたことのある記者が声をかけてきた。常々、無視しようとは思っているのだが、つい反射的に挨拶《あいさつ》を返してしまう。

暑さに音を奪われたような広場が、とつぜんざわついたのはそのときだった。里美宅に一番近いワゴン車の中から、携帯を耳に押し当てた男が降りてきて、「やっぱり、今日、任意で事情聴取だってよ！　任意で事情聴取！」と叫んだのだ。

男の声にそれぞれの車から男たちが降りてくる。第一報を伝えた男が情報を追加し、ますます男たちの踏みつける砂利の音が高くなる。早くもテレビカメラを肩に載せている者の姿もあった。改めて見れば、さっき寝室の窓から覗《のぞ》いたときよりも、車は増え、いつの間にかテレビの中継車も横付けされている。

俊介は何度か振り返りながら広場を抜け、アスファルト舗装の道で自転車に跨がった。木陰の続く道には、いくぶんひんやりとした風が吹いている。

里美の一人息子で、先月、四歳の誕生日を迎えたばかりの萌《めぐむ》の遺体が、桂川渓谷で発見されたのは二週間前のことだった。

その前夜遅く、里美は、「息子が帰ってこない」と交番に通報している。警察はすぐに誘拐も視野に入れた捜索を始めたが、目撃情報は一切ないまま夜が明けた。

翌早朝、団地内にも情報が伝わり、殆《ほとん》ど体《てい》をなしていない管理組合が音頭《おんど》を取って、即席の捜索隊が結成された。

週末で仕事が休みだった俊介も、かなこと共に参加した。捜索隊は裏山へ入る一班と、桂川渓谷へ向かう二班に分かれた。四歳になったばかりの萌が、一人で渓谷へ向かうことは考えにくく、俊介たちを含む一班のほうが人数は多かった。

渓谷の奥で、萌の遺体が発見されたという残念な知らせが、裏山の一班に伝えられたのは昼前のことだ。発見されたのが、かなり深い場所だったこともあり、住民たちの間では変質者の仕業ではないかという説が自然と広がった。実際、近所の中学校の女子生徒が、地元の者ではない中年男に、自転車であとをつけられるという事件がここ数ヶ月頻発していた。

だが、数日後に捜査の流れが変わった。失踪《しっそう》当日の里美の行動と、当初の供述との食い違いが明らかになったのだ。

警察や記者に対する彼女の態度も悪かった。日に日に厚化粧になり、記者やテレビカメラの前に立つ彼女は、息子を殺された母親というよりも、とつぜん世間の注目を浴び、浮かれている女にしか見えなかった。


小学校の校庭のフェンス越しに、市道を走っていくピンク色の小型バスが見える。渓流沿いにある日帰り温泉施設の専用バスで、車体に「せせらぎの郷《さと》温泉」というロゴが入っている。

俊介は拭っても拭っても顎《あご》の先から滴《したた》り落ちる汗をそのままに、樹々《きぎ》の中に消えては現れるバスを見つめていた。背後では休憩中の少年たちが、日盛りの校庭に座り込み、誰かが捕まえたらしいてんとう虫を、小さな手から手に移して遊んでいる。

「お前らの中で、『せせらぎの郷』に行った奴《やつ》いるか？」

俊介はTシャツにタオルを突っ込んで、胸元の汗を拭《ふ》いた。帽子のツバの下に濃い影を作った子供たちは俊介を見上げているが、質問に答える者はいない。

「誰もいないのか……」

俊介がまたフェンスのほうへ顔を向けようとすると、「この前、行きました」と、中の一人が声を上げる。

「マジ？　お前、行ったの？」

「混んでんだろ？」

「あそこって、俺たちならいくら？」

「五年生からは、大人と一緒だよ」

俊介の問いかけには反応が鈍いくせに、誰かが口を開くと、あっという間にみんなが喋《しゃべ》り出す。蟬《せみ》と、子供たちの声と、強い日差しが混じる。俊介は苛々《いらいら》する気持ちを抑えるように、「そろそろシートノック始めるぞ。レギュラー以外の奴は、向こうでランニングキャッチ始めろ」と子供たちの話を遮った。

校庭の隅に、午後から練習を始めるサッカー教室の子供たちが集まり始めていた。あちらには数人、女の子も混じっている。

尻についた土を払いながら、少年たちが立ち上がる。

「さっきのてんとう虫は？」

俊介はふと思い出して尋ねた。きょとんとした少年たちが顔を見合わせ、最後に視線の集まった補欠の少年が、前に出てきて結んだ手を突き出してくる。

「捨てろ」と俊介は言った。

少年は素直に手を開いた。指と指の股《また》に、てんとう虫が埋まっている。少年が何度か乱暴に手を振ると、やっと飛ぶことを思い出したように、羽を広げて飛んでいった。

「あの女も、せせらぎの郷によく行ってたんだって」

「マジで?」

「俺のおふくろも見たことあるって」

「あの女って、奥団地の?」

「そう。あの人殺し」

外野へ走っていく子供たちの声が聞こえた。乾いたグラウンドに小さくて濃い影が散っていく。肌に痛いほどの日差しだった。どしゃぶりの雨でも来てくれないかと、俊介は空を見上げた。

立花里美と一人息子の萌が、水の郷団地に越してきたのは、三ヶ月ほど前、桂川渓谷に一本だけ植えられた桜が散り始めたころだった。

その日の午後、俊介はかなこと立川のデパートまで出かけており、引っ越し業者のトラックが来たのも、荷物が運び込まれる様子も見ていない。ただ、外出していたのはほんの二、三時間のことなので、その隙《すき》に作業が完了したのであれば、さほど荷物は多くなかったはずだった。

数日、隣家に人の気配はしたが、里美が挨拶に来ることはなかった。そのせいで俊介は二人の顔を見る機会もなかったのだが、日中、家にいるかなこは、息子の萌を叱《しか》りつける里美の声を何度も耳にするらしく、「子供は物凄《ものすご》い声で泣くし、聞いてるだけでイライラする」と不満を言った。

引っ越し当日、里美は古いテーブルや椅子《いす》を広場に出した。粗大ゴミなのだろうが、業者に連絡した様子もなく、十日ほど出しっ放しになっていた。

俊介が里美を初めて見たのは、この件で管理組合の会長が苦情を言いに行ったときだった。たまたま前を通りかかったのだが、「業者を呼ぶか、家に戻してほしい」と頼む七十代の会長に、「違法なんですか？　契約書とかにもはっきり書いてあるんですか？　あんまり赤の他人に干渉されたくないんですけど」と彼女は顎を突き出して反論していた。

アニメキャラクターの描かれたトレーナーに、その豊満な乳房の形が浮き出ていた。

俊介は目を逸《そ》らして素通りしたが、背中に里美の視線を強く感じた。老人相手に悪態をつきながらも、じっとこちらを見ている里美の視線は、家に入ってからもしばらく背中に残った。

幸い、その翌日、テーブルと椅子は彼女の家の玄関横に移された。が、あれから三ヶ月が過ぎた今も、荷物はそこに放置されたままになっている。

砂利敷の広場には真上から太陽が照りつけていた。背中に汗染《あせじ》みを作った何人もの男たちが、事の成り行きを見守っている。テレビ中継車も増え、低空を飛ぶヘリの轟《ごう》音《おん》が、団地内の家屋を震わせる。最近では滅多に顔を出さなくなった住民たちも、さすがに現場の緊迫した様子に誘われて、ちらほらと戸外に姿を現している。

グラウンドでの練習を終え、団地に戻った俊介は、自転車を押しながら、そんな広場を横切った。

汗びっしょりのシャツや靴下を玄関で脱ぎ、「ただいま」と声をかけて居間へ入ると、扇風機を抱くようにして、椅子に腰かけているかなこの背中がある。

Tシャツは着ておらず、よほど暑いのか、ブラジャーのホックも外している。

「ただいま」と俊介は改めて声をかけた。

「おかえり」と振り向いたかなこのうなじで、貼《は》りついていた何本かの髪の毛が扇風機の風で靡《なび》く。

「外、すごいことになってるよ」

俊介は椅子の背にかけられていたタオルで、汗の噴き出す顔を拭いた。かなこが使ったものなのか、微《かす》かに自分とは違う誰かの汗の臭《にお》いがする。

かなこの足元に新聞の折り込み広告が散らばっていた。一番上に求人広告があり、時給七百八十円のスーパーのレジ係の募集欄に、鉛筆で◯がつけられ、その◯が赤ペンでグチャグチャに消されている。

俊介は扇風機の風が当たる場所に座り込むと、他の広告も引き寄せて広げてみた。中に不動産のチラシもあり、東京ベイエリアの高層マンションが載っている。一番小さな部屋でも七千万円からで、使われている写真は南国のビーチリゾートらしく、真っ青な海と白い砂浜とハイビスカスがデザインされている。

七千万円の物件を購入するのに、どれくらいの頭金が必要なのだろうか。そもそも契約社員として工場で働く自分などに、ローンを組ませてくれる銀行があるのだろうか。俊介はチラシを折って元の場所に投げ置いた。

扇風機の前から離れたかなこが、ブラジャーのホックを留めながら外の様子を窺《うかが》っている。「なんか見える?」と尋ねると、「組合会長の奥さんも出てきてるみたいね」と、興味なさそうに答える。

俊介も横に立って外を眺めた。組合会長の奥さんがいつも差している花柄の日傘が、塀の向こうを動いていく。

かなこはテレビをつけた。何度かチャンネルを変えてみるが、ここの現場が映っている番組はない。

「ねぇ、萌くんが亡《な》くなって悲しい?」

かなこがリモコンでチャンネルを変えながら尋ねてくる。俊介は横に立つかなこを見上げた。事件以来、かなこがこの手の質問をしたことはない。

「どうして?」

「だって、可愛《かわい》がってたでしょ」

「別に、可愛がってたわけでもないよ」

とつぜん広場のほうが騒がしくなったのはそのときだった。ちらっと外を覗いたかなこが、Tシャツを着て、スウェットのパンツを穿《は》きながら玄関へと向かう。俊介もつられるように立ち上がり、洗濯カゴの中から新しいTシャツを引っ張り出した。

玄関からサンダルをつっかけたかなこが先に外へ飛び出し、俊介もすぐにあとを追った。

広場へ出ると、日傘を差した組合会長の奥さんが立っている。

やはり何か動きがあったらしく、里美宅の前に陣取った取材陣の間から、「そこの奴、しゃがめよ！」「押すなって！」という怒声が聞こえてくる。

二人の足音を聞きつけた組合会長の奥さんが振り返り、日傘の下で、「捕まるみたいよ」と顔をしかめた。

報道陣と野次馬は予想以上の数だった。この辺りではちょっと見かけない群衆が、里美の家へ入っていく背広姿の刑事たちを取り囲んでいる。

「結局、逮捕状出たんだねえ……」

組合会長の奥さんがそう言いながら、横に立つかなこの頭上に日傘を差しかけてやる。かなこが軽くお辞儀して中へ入ると、身体《からだ》半分だけが陰になる。

目の前で男たちが怒鳴り合っているのに、妙に静かな光景だった。よほど蟬の声のほうがうるさい。騒ぎというのは音を奪うものなのかもしれないと、俊介はふと思い、かなこの横顔に目を向けた。その瞬間、「出てくるぞ！」「来たぞ！」と声が上がった。

家の中から、私服刑事たちに囲まれた里美が、顔を隠すこともなく現れ、ただでさえ目映《まばゆ》い日差しの中で無数のフラッシュが白く焚《た》かれた。

かなこが日傘の下を出て、里美に近づこうとする。

「おい」

俊介は慌《あわ》ててかなこの腕を取った。ふと我に返ったように、かなこが足を止める。

連行される里美は、堂々としたものだった。顎をツンと上げ、自分を囲むカメラを順番に睨《にら》みつけていく。普段着ではなく、赤いノースリーブのワンピースを着ている。

「もう、暑いでしょ！　ちょっと、痛い！　放してよ！」

腕を摑《つか》まれたまま暴れる里美の腋《わき》が丸見えだった。

「あなたが殺したんですか！」

「自供したんですか！」

「萌くんに何か言ってあげたいことはありますか！」

男たちの野太い声が、炎天下に立つ里美に浴びせかけられる。立ち止まって記者たちの質問に答えようとする里美を、無理やり刑事たちが引っ張って歩かせる。そのせいで、背筋を伸ばそうとする里美の身体が、無様な前屈《まえかが》みになってしまう。

刑事たちは里美を乱暴にワゴン車に押し込んだ。抵抗する里美のむっちりとした尻《しり》や太腿《ふともも》を、刑事たちの手が容赦なく押す。里美たちが乗り込むと、ワゴン車はすぐに走り出した。砂利を踏みつけるタイヤが、そこに残った記者や野次馬たちまで踏みつけるような音を立てた。

ワゴン車が去ると、記者や野次馬たちも呆気《あっけ》なく散らばり始める。

「これで、やっと終わりだな。正直、この騒ぎにはもううんざりだよ」

俊介は摑んだままだったかなこの手首を放した。手のひらがかなこの汗で濡《ぬ》れていた。

「あの人、もう戻ってこないのかしらね?」

組合会長の奥さんの声に、「事情聴取じゃなくて逮捕でしょ? 何か証拠でも出たんなら、もう戻れないですよ」と俊介は答えた。

「そうよね。もう無理よね」

奥さんがそう言い残して立ち去る。日傘が動き、かなこの顔に日が当たった。真上からの日差しが、額に前髪の一本一本まで影を作る。

奥さんの足音が遠ざかると、「昼メシにしようぜ」と、俊介はかなこの肩に手をかけた。

「うん」と頷《うなず》きながらも、かなこが動こうとしない。

「どうした?」

「……ううん、ただ、すごい人が囲んでたなって思って」

「人?」

「だって、あんな大勢の人に囲まれて、里美さん、怖かっただろうなって」

「……そうは見えなかったけど」

答えた俊介を、かなこは睨んだ。

「あ、ごめん……」

思わず俊介が謝ると、「お昼、冷やし中華でいいよね」と唐突にかなこが話を変える。

「また?」と俊介は苦笑した。

「まとめて麺《めん》買っちゃったんだよね」

俊介はかなこの背中を押すようにして歩き出した。自分の手のひらも、かなこの背中も熱い。

「そう言えば、二、三日前だったかな、里美さんがうちに来て、『どうして顔にモザイクなんかかけるんだろう』って文句言ってたのよ」

一瞬、かなこが何を言い出したのか分からなかった。

「え?」

「テレビでいつも里美さんの顔にモザイクかかってるでしょ?」

「ああ」

「子供のころから、テレビに映ってみたかったんだって。それなのに、せっかく映ったときは顔にモザイクで、匿名《とくめい》で……」

「逮捕されたんだから、もうモザイクも取れるよ。……それにしても、やっぱ、ちょっとおかしいな、あの女」

俊介は半ば呆《あき》れるように笑い飛ばした。

かなこも一緒に笑うかと思ったが、「でも、今更モザイクが取れたって、もう里美さんは見られないじゃない」と真顔で言った。

俊介は家へ入る前に、ふと空を見上げた。気味が悪いほど、真っ青な空だった。

○

一瞬、空を見上げ、薄暗い玄関へ入っていく尾崎の様子を、渡辺一彦は少し離れた場所のワゴン車からぼんやりと眺めていた。

これから会社に戻って原稿を仕上げれば、来週発売の号でこの事件の小特集が組めるかもしれない。

渡辺は後部座席を振り返り、機材を片付けているカメラマンの大久保に、「手伝いましょうか？」と声をかけた。

「うん、大丈夫。すぐ済むから」

後部のハッチが開いたままなので、広場の熱気が容赦なく車内に入り込んでくる。送風口から吐き出される冷風が、渡辺の二の腕だけを冷やす。

「あの、すいません、ちょっといいっすか」

渡辺の横でハンドルに顎《あご》をのせたまま、同じように尾崎たちの様子を眺めていたドライバーの須田保《すだたもつ》が、声をかけてきたのはそのときだった。

「小便ですか？」

「あ、いや……、ちょっと……、すぐ戻りますから」

須田が視線を俊介宅に向けたまま、運転席を降りていく。渡辺は日盛りの広場を小走りに横切っていく須田の背中を見つめた。

噂《うわさ》によれば、須田は一年ほど前まで中堅のテレビ制作会社のディレクターをやっていたらしいが、上司との度重なる喧嘩《けんか》でクビになり、その後は今のドライバー派遣会社で契約社員として働いている。

ぼんやりと眺めていると、尾崎宅の前で立ち止まった須田が、背伸びをして何度か塀の向こうを覗《のぞ》き込み、結局、何も見えなかったのか、玄関先へ移動して、そのドアをノックする。

渡辺は団地内の住人たちの殆《ほとん》どをすでに取材している。たいていの住人たちは最初こそ、迷惑がってみせるのだが、次第にインタビューやカメラにも慣れ、今では住人たちのほうから期待以上の話をわざわざ伝えに来てくれたりする。ただ、団地内でもこの尾崎夫妻だけは別で、渡辺が何度尋ねても、未《いま》だに、「殆ど付き合いなかったですから」で押し通されている。

仕事に通う夫とは、広場で顔を合わせることもあるが、化粧っけもないわりに、妙に色っぽい妻のほうに至っては、買い物にさえ出かけない日も多い。

渡辺はふと気になって車を降りた。須田はまだ尾崎宅の玄関先に突っ立っている。須田の呼びかけに家の中から出てきたのは夫の俊介だった。警戒するように少しだけ開けたドアの隙間《すきま》から顔を出し、明らかに迷惑そうな顔で須田を見ている。

「どうしました？」

背後から大久保に声をかけられ、渡辺は、「いや」と前を向いたまま首を振った。

「あれ、なんで須田ちゃんがあそこに？」

いつの間にか車から降りていた大久保が、渡辺の横に並んで言った。

「さぁ」

渡辺は首を傾《かし》げた。

迷惑そうな尾崎の表情に変化はない。ただ、微《かす》かに須田の興奮した声が聞こえてくる。玄関から出てきた尾崎が、後ろ手でドアを閉める。

「……久しぶり。……俺だよ。……お前。……こんなとこ。……運転手」

言葉の端々しか聞き取れないが、どうやら久しぶりに再会したらしい。

「友達ですかね？」

大久保の問いに、渡辺は、「さぁ」とまた首を捻《ひね》った。

友人との再会にしては、須田の興奮をよそに、尾崎の表情がすぐれない。

「それにしても暑いっすね。中で待ちませんか？」

大久保がそう言って、後部座席に乗り込んでしまう。たしかに立っているだけで汗が噴き出してくる。渡辺も大久保を追って車に乗り込んだ。

須田と尾崎は三分ほど玄関先で話を続けた。須田が一方的に話しているようにしか見えなかったが、それでも車に戻ってきた須田の表情は満足げで、「すいません。よく似てるなと思ったら、やっぱ、大学時代の友達だったんで」と、説明する声にも懐《なつ》かしさが溢《あふ》れている。

「大学んときって、須田ちゃん、野球部だったんだよね?」

後部座席から大久保が声をかける。シートベルトを締めながら、「二年のときにクビになっちゃいましたけどね」と須田が笑う。

「じゃあ、今の人も野球部?」

大久保の質問に須田は曖昧《あいまい》に頷くと、「えっと、会社に戻ればいいんですよね?」と渡辺に視線を向けた。

「ええ。この時間だと、どれくらいかかりますか?」

「そうっすね……、高速が混んでなけりゃ、二時間かかんないと思いますけど」

車は大きくUターンして広場を出た。すでに玄関先に尾崎の姿はなく、ドアも閉められている。

「少年野球の臨時コーチやってるみたいですよ」

須田がとつぜん口を開いたのは、車が渓流沿いの市道に下りたときだった。よほど大学時代の友人と再会したのが嬉《うれ》しいのか、誰かに伝えたくて仕方がないらしい。

「……玄関先にバットが立て掛けられてたから訊《き》いたんですけどね。いやぁ、俺なんてもう何年もボールさえ握ってませんよ」

「大学どこでしたっけ? たしか、わりと名門の野球部でしたよね?」

後部座席から大久保が話を合わせてやる。

「いや、大したことないっすよ。特に俺なんか、ずっとやってても補欠だったろうし、でも、あれっすよ、今、会った俊介、あいつはかなりのもんでしたけどね。……いやぁ、それにしてもびっくりした。まさか、こんなとこであいつに会うとは思いませんでしたよ。それも偶然とはいえ、あの女の隣でしょ？　いやー、ほんとびっくりした」

「何年ぶりなの？」

明らかに興味のなさそうな大久保が、それでもお愛想程度の質問をする。

「えっと、何年ぶりかなぁ、二十歳《はたち》のころからだったら、十五年、いや十六年ぶりかな」

「須田ちゃん、この現場、初めてだもんね」

「そうっすね。ここは」

「じゃあ、須田ちゃん、その友達の奥さん、まだ見てないんだ？」

「いや、さっきちらっと後ろ姿は見えたんですけど」

「美人だよー」

「そうなんすか？」

「ねぇ、渡辺さん、あそこの奥さん、美人ですよね？」

大久保に声をかけられ、渡辺は携帯のメールをチェックしながらも、「たしかに色っぽいっすよね」と素直に頷いた。

「そうなんすか？　まぁ、あいつは学生んときからモテてましたからね。俺もあいつもちょっとした問題起こしちゃって、一緒に野球部をクビになったんだけど、クビになる前なんか、グラウンドにあいつのファンの子たちが毎日のように来てましたからね。かといって、カッコつけた嫌な感じの男でもなかったし。……それにしても、まさかあいつがあんなところにねぇ。……まぁ、人のこと、とやかく言えた立場じゃねえけど、あいつはもうちょっと上に行ける奴《やつ》だと思ってたんですけどねぇ」

須田は興奮が収まらず、高速に乗るまで大久保相手に話を続けた。話せば話すほど、学生時代を思い出すらしかった。

○

目を閉じると、真夏の森を歩いているようだった。蟬《せみ》の声は間近で、風もなく、葉を揺らすこともない樹々《きぎ》は、静止画のように動かない。

俊介は目を閉じたまま、足の指で扇風機のスイッチを入れた。室内にこもっていた空気が動き、自分がどれほど汗をかいていたのかが分かる。決して涼しくない扇風機の風でも、肌に当たればひんやりとする。

俊介は寝返りを打ち、肩の汗をシーツにこすりつけた。シーツにできた無数の小さな毛玉が、ざらざらとして気持ちいい。

目の前にかなこの白い背中があった。まだ荒い息をついている。背中を汗が一筋流れ、止まり、またゆっくりと流れ出す。鼻がつくほど顔を近づけると、あるかなきかの産毛《うぶげ》が背骨に沿うように生えているのが見えた。

日当りの悪い室内でも、真昼の烈日が感じられた。近所の家でつけられているテレビの音が微かに聞こえる。俊介は舌を伸ばしてかなこの背中を舐《な》めた。面倒臭そうに動いたかなこの腕が、俊介の顔に落ちてくる。互いの汗がペチャと嫌な音を立てる。

俊介は布団《ふとん》にあぐらをかき、だらりとした性器にタオルケットをかけた。引っ張ったタオルケットの先にかなこの白い尻《しり》が現れ、すぐにタオルケットが引き戻される。隠した俊介の性器が、また露《あらわ》になる。

さっき何度も腰をぶつけたテーブルでコップが倒れ、氷がこぼれている。半分ほど溶けた氷が、水たまりに浮いている。

テーブルには昨夜かなこが履歴書を書くときに出した文房具入れの小箱もある。俊介はその中から何気なくセロテープを取り出し、しばらく穴に指を入れて回したり、カッターを指の腹で撫《な》でたりした。

退屈しのぎに、長くテープを引っ張り出して、かなこの肩から背中へかけて貼《は》りつけた。枕《まくら》から頭を起こしたかなこが、やはり面倒臭そうにセロテープの貼られた背中を掻《か》く。

俊介は一気にテープを剝《は》がした。もっと音が立つかと思ったが、汗に濡《ぬ》れたテープは音もなく剝がれて、縒《よ》れた。

かなこは剝がされたあとをまた掻いた。肌に薄《うっす》らと赤くテープのあとが残る。縒れたテープを窓のほうへかざすと、かなこの皮脂の模様がはっきりと浮き出ている。こちら向きに寝返りを打ったかなこがそれを奪い取り、目を細めて、自分の皮脂の模様を見つめる。

放り出された乳房が垂れ、あぐらをかいた俊介の膝《ひざ》に、その乳首が触れた。

「明日、『せせらぎの郷』の面接行くから」

かなこがテープをくしゃくしゃに握り潰《つぶ》しながら言う。

「面接?」

「昨日電話したら、やっぱり募集してるって」

「働くの？」

「駄目？」

「いや、もちろん駄目じゃないけど……」

「何？」

「いや、別に……」

「何よ？」

「だって、あそこ、男湯の掃除とかさせられるんだろ？」

しばらく返事を待ったが、かなこは何も答えなかった。代わりに、自分で引っ張り出したテープで、俊介の指を縛ろうとする。

されるままに俊介は両手を差し出した。揃《そろ》えた両方の親指を、かなこがテープで固定する。

一旦《いったん》、固定されると、取ろうとしても指は離れず、圧迫された指先の色が微かに変わってくる。

その様子をかなこが面白そうに眺めている。興が乗ったのか、今度はあぐらをかいた俊介の毛深い脚を伸ばさせ、両足の親指もセロテープできつく縛った。

「動けないでしょ？」

かなこが挑戦的に笑うので、俊介は、「動けるよ」と答えて、立ち上がろうとした。が、バランスを崩して前につんのめり、尻を突き出すような無様な格好になった。突き出された尻を、かなこがパチンと叩《たた》いて笑う。

笑うとかなこの乳房が揺れた。さっき甘噛《あまが》みしたあとが残っている。俊介はもう一度体を起こして、立ち上がった。バランスをうまく取れば、なんということはない。

「歩ける？」

かなこが笑うので、俊介は布団の上で何度かジャンプしてみせた。その度に性器が腹に当たって音を立て、かなこが枕を投げつける。

「中学のころ、似たようなことしてクラスの子をいじめたことある」

突っ立った俊介を見上げて、かなこが呟《つぶや》く。

踏みつけたシーツが濡れている。二人の体液が混じり合った場所で、俊介はもう一度ジャンプしてみせた。両足の親指の根元に食い込んだテープのせいで、千切れるような痛みが走る。

「小学校のころは一番仲が良くて、ふざけてキスの練習とかしてた子だったけど」

「子供のころ、いじめっ子だったんだ？……珍しいな、昔の話なんかするの」

「そう？」

かなこは表情を変えず、自分の脇腹《わきばら》についていた糸屑《いとくず》を取った。塀の向こうを近づいてくる数人の足音が聞こえたのはそのときだった。子供なのか、歩調は小刻みで、速い。

「俺は小学校のころ、同じクラスの女の子にいじめられたことあるよ」

身体《からだ》を捩《ひね》ってパンツを穿《は》くかなこに、俊介はそう言った。

「その子、あんたのこと、好きだったのよ」

「みんなそう言うけど、あのいじめ方は本気だったぞ。縄跳びの縄で俺のこと縛るんだよ。まぁ、俺も掃除サボったりしてたんだけど、そんで廊下を歩かされるわけ」

「黙って歩いたの？」

ブラジャーもつけずにTシャツを着ようとしたかなこが、一瞬、動きを止めて、俊介を見上げる。

「歩いてやれば、それで向こうの気も済むみたいだったしな」

塀の向こうで足音が止まった。同時に、「ここだよ。絶対、ここ」「ほんとにあの女ん家《ち》の隣なんだ」という子供たちの声が聞こえる。次の瞬間、「コーチ！　尾崎コーチ、いますか！」と呼ばれた。野球チームの子供たちらしかった。

「ほら、そのままの格好で出なさいよ」

かなこが面白がって、俊介の臑毛《すねげ》を毟《むし》る。避《よ》けようとした瞬間、足の親指の根元にテープが食い込む。

「何だ？　どうした？」

俊介は痛みを堪《こら》えて声を返した。返さなければいつまでも呼び続けられそうだった。

「あ、いた！」

「ほら、やっぱりここだろ」

ホッとしたような子供たちの声がする。

「あの、お母さんたちに頼まれて、ビール持ってきたんですけど」

「ビールじゃないって。お中元って言えって言われたろ！」

小突き合っているのか、塀の向こうで砂利を踏む音が乱れる。

「結構、ママさんたちにも慕われてるんじゃない。お中元、持たせるなんて」

かなこが小馬鹿《こばか》にしたように呟く。

「分かった！　すぐ出るから、ちょっとそこで待ってろ」

俊介は声を返すと、さっさと部屋を出て行こうとするかなこの腕を摑《つか》み、「切ってくれよ」と、すっかり変色した両手の親指を突き出した。一瞬面白がって拒んでみせようとしたが、面倒になったのか、かなこは文房具箱から鋏《はさみ》を取り出した。

両足の親指の間に、ゆっくりと鋏が差し込まれる。俊介は黙って、かなこの手元を見下ろした。鋏の刃はぞっとするほど冷たかった。

○

「ちょっと。真っ暗なままで、冷蔵庫開けないでってって、いつも言ってるでしょ、気味悪いんだから」

深夜二時になって帰宅した渡辺一彦が、自宅の台所にしゃがんでいると、衝立《ついたて》てで仕切られただけの寝室から出てきた妻の詩織が、心底憎らしそうに溜息《ためいき》をついた。

「起こさないように、気遣ったんだろ」

渡辺は酔ってふらふらする身体を、冷蔵庫の扉を摑んで支えた。

「あんなにドタドタ足音立てられたら、誰だって目が覚めるでしょ」

渡辺は無視して、冷蔵庫の奥からうどん麵《めん》を取り出した。

「ちょっと〜、今から食べるの？」

「腹、減ってんだよ」

「も〜、面倒臭い」

「誰も作ってくれなんて頼んでないだろ！　自分で作るんだよ」

「洗うのは私でしょ！」

「洗うよ、自分で！」

詩織は聞こえよがしにまた溜息をついた。ドタドタと足音を立ててトイレへ向かう。渡辺がうどん麵のパックを嚙み切ろうとすると、詩織の放尿する音が鈍く響いた。渡辺はなかなか嚙み切れないパックを、暗いシンクに投げつけた。

足の怪我《けが》で使い物にならなくなり、ラグビー人生に終止符を打ったころから、夫婦仲は目に見えて悪くなっていた。

詩織からは、「地方の工場勤務でもいいから、会社に残って」と、涙ながらに請《こ》われたのだが、何が邪魔をするのか、どうしてもそれができなかった。

詩織の懇願は、いつの間にか嘆きに変わり、三年ほど職もなく貯金を食いつぶし、少額の借金を繰り返している間に、はっきりとした侮蔑《ぶべつ》になっていた。詩織の態度は、中堅出版社記者という仕事をやっと得た今も変わらない。

あのとき、きっぱり別れていれば良かったのだと、最近、渡辺はよく思う。そしておそらく相手もそう思っているからこそ、渡辺の言動にいちいち腹が立つのに違いない。

「今さら別れて私はどうすればいいのよ？　あなたと結婚さえしなければ普通に仕事してたのよ！　これから私を雇ってくれる会社がある？　慰謝料も大して出せないくせに！　パートでもやって暮らせってこと？」

言い争いが起こるたびに詩織はヒステリックにそう叫ぶ。返す言葉のない渡辺は、黙って外へ出かけるしかない。

トイレから出てきた詩織は、台所に立つ渡辺をちらっと見ることもなく、衝立ての向こうの寝室へ姿を消した。掛け布団を剝ぐ音、スリッパを脱ぐ音、ベッドに腰を下ろす音がいちいち批難がましく台所まで響いてくる。

渡辺はシンクに落ちたうどん麵のパックを拾い上げると、改めて前歯で嚙み切った。鍋《なべ》を出そうと頭上の棚を開けた途端、重ね方が悪かったのか、鍋ぶたが床に落ち、派手な音を立てた。

「いい加減にしてよ！」

すぐに衝立ての向こうで妻が怒鳴る。

台所から延びた明かりが、居間のソファに置かれた毛布と枕を照らしている。自分から言い出したこととはいえ、手足を伸ばせないソファよりも、どんなに他人の鼾《いびき》がうるさくとも、まだ会社の仮眠室のほうが寝心地はいい。

今日、仕事を終えたのは、午後八時を少し過ぎたころだった。せめて十時を回っていれば、仮眠室へ直行したのだが、さすがにこの時間では憚《はばか》られた。かと言って、早々に帰宅したいわけでもなく、ぽっかりと夜が空いてしまった。タイミングよく、経費の清算に来ていたカメラマンの大久保を飲みに誘った。

向かったのは、旨《うま》いへぎそばを出す近所の居酒屋だった。一日オフだったらしい大久保は夕方から家で少し酒を飲んでいたようで、生ビールを注文する渡辺の横で、最初から冷やの日本酒を呷《あお》っていた。

今年四十七歳になるという大久保は未《ま》だ独身で、若いころには世界を飛び回り、いわゆる芸術作品を撮っていたらしいのだが、四、五年前に身体を壊して以来、保険の効かない外国で倒れると大変なことになるからと、今ではすっかり国内での頼まれ仕事だけをこなしている。「野心ってのは、健康だからこそ持てるんだ」というのが口癖で、酔えば相手が誰でも、必ずそんな愚痴をこぼす。

その大久保が、契約ドライバーの須田保の話を始めたのは、注文したつまみもあらかた食べ尽くし、そろそろへぎそばでも頼もうかというころだった。

「……そういえば、あの運転手が桂川の団地で偶然会った友達ってのも、もしかすると例の事件の仲間なのかもな」

すでに四杯目のグラスを半分ほど飲んでいた大久保が、少し呂律《ろれつ》の回らなくなった口調でそう言った。あまりにも突然で、何の話を始めたのか分からなかった渡辺が、「あの運転手って？」と尋ねると、「ほら、須田ちゃんって、こないだの運転手さん」と答える。

「ああ、あの」

再会を喜んでいる須田とは対照的に、最後まで笑顔を見せなかった尾崎宅の夫の表情のほうが思い出される。

「大久保さんって、あの運転手さんと親しいんですか？」と渡辺は訊《き》いた。

「別に親しくもないけど、ここ最近、組むこと多くて」

枡《ます》に残った酒を、大久保がグラスに注ぐ。

「今、例の事件の仲間って言いましたよね？　例の事件って何すか？」

「あれ、渡辺さん、知らないの？」

「ええ」

渡辺は、へぎそばを注文しようと、レジ前に立つ店員に手を振りながら尋ね返した。

「ほら、自分でも言ってたじゃない。車ん中で。大学んとき、ちょっとした問題起こして、野球部をクビになったって」

近寄ってきた店員に、渡辺はへぎそばを頼んだ。大久保も食べるかと思って尋ねてみたが、腹一杯らしく、無言で首を横に振る。

「……ちょっとした問題ねぇ、なんて思いながら聞いてたけど。そうか、渡辺さん、知らなかったんだ」

「知らないですよ、何も」

「あの人さ、大学のとき、チームメイトの何人かで、女の子をレイプしてんだよ」

「レイプ？」

一瞬、飲み込もうとしていた里芋が喉《のど》に詰まり、渡辺は激しく咳込《せきこ》んだ。

「そう。いわゆる、集団強姦《ごうかん》ってやつ」

大久保が呆《あき》れたように、渡辺の背中を叩く。

「あ、あの人が？」

止まらぬ咳を堪えながら、渡辺は訊いた。

「そう。……で、あの団地で会った奴《やつ》も、実はそのときの仲間の一人なんじゃないかなって」

興味があるのかないのか、大久保はそこまで言うと、席を立ってトイレに行った。カウンターに一人残った渡辺は、崩れた揚げ出し豆腐を更に箸先《はしさき》で崩しながら、三十代半ばと思われる、しょぼくれた須田の顔を思い描いた。

正直、野球選手とは無縁に見える風貌《ふうぼう》だった。顔色は悪く、身体にはたっぷりと贅《ぜい》肉《にく》がついている。まだ独り身なのか、奥さんが世話を焼いてくれないのか、いつ会ってもヨレヨレのTシャツ姿で、隣に座っているだけで、染《し》みついた煙草《たばこ》の臭《にお》いが漂ってくる。

トイレから戻ってきた大久保は、すでに須田の話には飽きたようで、最近、木村伊《い》兵衛《へえ》賞を受賞したという若い写真家の話を始めた。さほど写真に詳しくない渡辺は、

「珍しくもなんともないんだよ。ちょっとレンズの角度を変えてさ。あんなの、写真学校に入りゃ、誰でも一度は試してみるやり方なのに、それをそのままやって受賞だもんな」という大久保の愚痴を、酒を舐《な》めながら聞き流すしかなかった。

「……まぁ、俺なんかまだ報道専門だからいいけど、真剣にあの手の写真を撮ってる奴らは、マジでムカツいてると思うよ」

大久保の愚痴はいつまでも終わりそうがない。

店員が追加注文を聞きにきたのを機に、渡辺は、「あの須田っていう運転手、元はどっかの制作会社のディレクターだったんでしょ?」と話を戻した。大久保の愚痴を聞きながらも、須田が犯したという集団強姦事件のことが頭から離れなかった。

「みたいだね。良い時期もあったらしいけど……。ほら……」

大久保がそう言いながら、冷めた牡蠣《かき》フライに箸を伸ばす。

「これも噂《うわさ》だけど、たしか、自分の番組で使った女の子をホテルに連れ込んだのがバレて、クビだろ？　女の子の両親に訴えられたとかで。そんなことをしょっちゅうやってたみたいだよ」

その噂なら、渡辺も耳にしたことがあった。性質《たち》が悪いのは、自分の番組で使った女の子ではなく、自分の番組のオーディションで落とした子を、「次は選ぶから」と誘っていたらしいのだ。

壁際《かべぎわ》で年代物のエアコンが唸《うな》っている。強中弱しかない風量ボタンは常に強で、編集部内にこもる煙草の煙と、外回りから戻った男たちの汗の臭いをかき回す。外から戻ると、男たちはまずこのエアコンの前に立つ。噴き出す汗を凍らすほどの冷風を浴び、身震いするまで身体《からだ》を冷やしてから自分のデスクへ向かう。

渡辺はブラインドの下ろされた窓際のデスクで、部下の小林杏奈《あんな》にコピーしてもらった過去の資料や記事を日付け順に並べていた。

「あ、これも結構長いですよ」

隣のデスクから小林が一枚コピーを投げて寄越す。

手元の資料には「和東大学野球部」「集団レイプ事件」「集団性的暴行」などの文字が躍っている。

「それにしても、運動部って、ほんと、この手の事件が多いですよね」

膝《ひざ》掛けの端を尻《しり》の下に突っ込みながら、小林がうんざりしたように言う。

「……運動部のネタって、極端なんですよね。さわやか選手の特集か、集団レイプ。中間がないんだもん」

入社してまだ二年だが、小林の口調は日に日にがさつになっている。

お嬢様大学の出身で、何を間違ってうちのようなヤクザな部署に配属されたのか知らないが、高そうなスカーフを小粋《こいき》に巻いて初出勤してきたときには、部署の誰もが半年もたないと決めてかかっていた。

実際、取材先でも使い物にならなかった。張り込み中、何か動きがあるときに限って、近所の喫茶店でハーブティーを飲んでいるし、あるときなどは被害者家族のインタビューでもらい泣きしてしまい、取材にならなかったこともある。

もちろんデスクや上司からは毎日怒鳴られ、誰もが、もう辞めるだろう、もう限界だろうと思っていたのだが、根が負けず嫌いというか、図太いというか、怒鳴られれば怒鳴られるほど、事件に食らいついていく。

ある事件で、一切取材拒否していた被害者の家族が、通夜《つや》に群がる報道陣を帰すために被害者である娘の写真を一枚だけ提供したことがあった。差し出された写真に、各社のカメラマンは群がったのだが、彼女だけ、なんとカメラを忘れて撮影できなかった。

彼女はすぐにデスクに連絡を入れたのだが、もちろんデスクは編集部の窓ガラスが割れるほどの声で、「なんで！　その辺にいるカメラマンに！　一枚撮ってくれって頼まないんだよ！　スカートでもちらっと捲《めく》って撮ってもらえよ！」と怒鳴った。

さすがに彼女も手ぶらでは会社に戻りづらく、消沈しきって葬儀場の周りを一晩中ぶらぶらと歩き回っていたらしい。

被害者の母親に声をかけられたのは翌朝だった。亡《な》くなった娘と年も近い小林が、一晩中待っていたことを葬儀場の窓から見ていたらしい。母親は小林を自宅に連れて帰った。そして、十数冊に及ぶ被害者のアルバムを出し、「どれでも好きな写真を使いなさい」と言ってくれたという。

そして、各社誌面には面白みのないガンクビ写真だけが掲載される中、渡辺の会社だけが生き生きとした動きのある被害者の写真を使い、断ち切られた若い女性の人生を報道することができたのだ。

単なる偶然とはいえ、小林には本人の熱意とは無関係にこの手の幸運がついて回る。

「どうでもいいですけど、この事件と、今回の萌ちゃん殺しと、何か関係でもあるんですか？」

エルメスのカップに自分の分だけ紅茶を淹《い》れてきた小林が、熱い紅茶に息を吹きかけながら訊いてくる。

「このクソ暑い中、よく熱い紅茶なんて飲む気になるな」

渡辺がコピーの束を揃《そろ》えながら呆れていると、「だって、男たちの嫌がらせには自己防衛しないと」と真顔で答える。

「嫌がらせ？」

「冷房ですよ、冷房。あ～あ、私も化粧品会社とか、女の職場に行けばよかったなぁ」

渡辺は無視してコピーに視線を戻した。背後に立った小林が覗《のぞ》き込み、その途端、微《かす》かに紅茶の香りがする。

「そう言えば、渡辺さんも、実はすごい経歴なんですよね」

「俺？」

「だって、ラグビーの日本代表に選ばれたこともあるんでしょ？」

「バックアップだよ、補欠」

「でも、それだってすごいことでしょ。結局、社会人で何年やってたんでしたっけ?」

「三年……。一年ですぐ使い物にならなくなってたけどね」

「学生時代とか、モテたでしょ?」

「今だって、モテるよ」

「いやぁ、それはないですね～」

「失礼だな」

「でも、運動部の子って、ほんとにモテてましたもんね。私の友達なんか、野球部とかアメフトとかの主力選手とどうやったら付き合えるか、見ててうんざりするほど必死だったし。……やっぱりあれって女の子たちにすればステータスなんですよね」

「小林さんは興味なかったわけ?」

「私? 私は汗臭いの苦手だから」

「ひどいな、その言い様も。……小林さん、学生のころ、何かやってなかったの?」

「私、英語部」

「英語部? それ、何やんの?」

「TOEFLとかTOEICの勉強したり、学園祭で英語劇やったり」

「つまんなそうだな」

「炎天下で犬みたいにゼーゼー言ってるよりマシですよ」

いつまでも無駄口を叩《たた》いていても仕方がないので、渡辺は改めて一番長い記事を手にした。また覗き込んできた小林が、「あ、それが一番生々しいですよ」と教えてくれる。

「もう読んだの？」

「ええ、コピー取りながら。それにしても、あんなに毎日運動しても、やっぱり性欲って減らないもんなんですね」

「性欲と運動の疲労は別だろ」

「そうですか？」

「そうだよ。どっちかっていうと、疲れれば疲れるほど……。まぁ、いいや」

話が長引きそうだったので、渡辺はそこで言葉を切った。遠くから小林を探すデスクの怒鳴り声が聞こえてくる。

「小林さん、今、何やってんの？」

「いつもの贈賄《ぞうわい》」

「どこ？」

小林が答えようとした途端、デスクの声が一段と高くなる。小林はカップの縁についた口紅を軽く指で拭《ぬぐ》いながら、「は〜い。ここにいま〜す」と呑気《のんき》に声を返した。

小林が姿を消すと、渡辺は記事を持って廊下へ出た。電話や人の笑い声から離れて、ゆっくりと読みたかった。

廊下に出ると、あいにく日が差し込んでいたが、柱の横に濃い陰がある。多少暑いが、それでも煙草の煙の充満している室内よりは気持ちがよかった。

○

「これは、事件の公判が始まったころにできたんです」

事件の被害者であるA子さん（当時十七）の母は、そう言って後頭部にできた十円玉大の円形脱毛を見せた。

「今、娘は落ち着いています。正直、あまりにも落ち着いてて、逆に心配になるくらいです。本人の希望で転校しました。一日も早く、新しい場所で新しい人生を踏み出してくれればと、今は願っています」

昨年八月初旬、被害者のA子さんは、和東大学野球部の部員四名に暴行を受けた。

現場が大学野球部の寮だったこともあり、事件は一時期マスコミで大きく扱われた。

先月の判決公判で、東京地裁八王子支部の国枝雅次《まさつぐ》裁判長は、「年齢相応の分別や運動選手らしい健全さは微塵《みじん》も感じられず、被害女性の人格を無視し性欲のはけ口としか見ていない」と厳しく指摘し、主犯格の尾崎俊介（二十一）、須田保（二十一）に対し、懲役三年、執行猶予《ゆうよ》五年、当時少年の二人（共に二十）に対し、懲役二年、執行猶予三年をそれぞれ言い渡した。

この事件は東京都小平市にある和東大学の野球部寮内で起きた。

発端となったのは、尾崎俊介と須田保、そして下級生二人の四人が新宿の街頭で、その日、別の男性たちと待ち合わせをしていたA子さんらに声をかけたことだった。

尾崎たちとA子さんらは歌舞伎町《かぶきちょう》の居酒屋及びカラオケ店で飲食後、同大学へ向かい、まずグラウンドへ侵入し、その後、同敷地内の寮へ入っている。

「最初からレイプ目的で連れ込んだわけではありません。みんな酔っていたので、グラウンドのような広い場所へ行くと、気持ちがいいと思っただけです。寮へ入ったのは、A子さんたちがトイレを借りたいと言い出したからで、そのあと集会室で飲み直すことになったんです」

尾崎の供述は、その日A子さんと行動を共にした柳原景子さん（当時十七、仮名）

の説明とも合致する。

景子さんの話によれば、集会室で飲み始めた尾崎たちが、練習中に自分たちの身体にできた生傷を、ふざけてA子さんたちに見せ始めたころから、少しずつ雰囲気がおかしくなりはじめたという。

当初は膝や肘《ひじ》の傷だけを見せていたのだが、須田保の命令で、下級生の一人が下着姿になり、パンツをずり下ろして尻の痣《あざ》や擦り傷などを見せ始めた。

「A子さんたちも最初は面白がっていました。特に、景子さんが面白がって、傷に触れたりしていました」

和東大学の野球部寮は、一、二年生が使う寮と、三、四年生の寮が別々になっている。犯人たちが使ったのは一、二年生の寮の集会室で、この日、殆《ほとん》どの部員たちは短い夏休み期間中で帰宅していたが、尾崎らがこっそりとA子さんたちを寮内に連れ込んでいたことを、二階の自室に残っていた三名の一年生部員たちは知っていたどころか、中にはトイレに行くふりをして、覗きにきた者もいたという。

尾崎は歌舞伎町の居酒屋で飲んでいるときから、A子さんに好意を持っていた。ただ、寮へ入る前に侵入したグラウンドでも、集会室で始めた酒盛りでも、A子さんの尾崎に対する態度は冷たく、途中から、あっさりと落ちそうな景子さんに乗り換えた。

「A子さんに対する好意と言っても、その程度のものだったんです。新宿での合コンの待ち合わせ場所で偶然出会って、あわよくばその夜ヤレる相手を探していたというか……」

野球部寮の集会室は小さな教室ほどの広さの畳部屋で、大型画面のテレビがある他には何もない。ただ、絶えず誰かが出入りしているせいで、畳の上にはいつも毛布や座布団《ざぶとん》が散乱していた。

標的を変え、景子さんを口説き始めた尾崎は、すぐに二階の自室へ連れ込もうとしたらしい。が、彼女がA子さんと離れるのを嫌がったため、テレビの前で酒盛りを続けるみんなから、少し離れた壁際《かべぎわ》で景子さんとイチャイチャし始めた。

「キスしたり、胸を揉《も》んだり、ブラジャー外そうとしたり……。もちろん最初は、景子さんも恥ずかしがってました。でも、尾崎さんが、『毛布をかぶってならいいだろ?』とか言って、なだめたりして……。実際、毛布をかぶってやってました。自分たちは別に、見るっていうか……、どっちかっていうと、『ヤルんなら、自分の部屋に連れてって下さいよ』って感じで見てたんだと思います」

その様子を共犯である下級生の一人はそう語る。

このとき、集会室にはまるで違う二つの世界があったと誰もが口を揃える。一つは

A子さんを笑わせようと酔って騒いでいる世界。そしてもう一つが、尾崎と景子さんの毛布の中の世界。しかし、この均衡が呆気《あっけ》なく崩れる。

トイレから戻った須田が、毛布をかぶってイチャついている二人に、ふざけてちょっかいを出したのが始まりだった。

「景子さんの足が、たまたま毛布から出てたんです。須田さんがふざけて、それをペロッと舐《な》めて。……一瞬、尾崎さんが怒り出すんじゃないかって思ったんですけど、尾崎さんも面白がって……。というか、今思えば、尾崎さんが目で合図して、須田さんにやらせたようなところもあったんです。だから俺ともう一人の奴《やつ》も、ノリっていうか、ウケ狙《ねら》いで近寄って、須田さんの真似《まね》をして、景子さんの足の裏とか舐め始めて……。そのとき、たしかA子さんはトイレに行ってたと思います」

下級生の二人が足の裏を舐めてくすぐると、須田は毛布の上からではあったが、景子さんの太腿《ふともも》に触れ始めた。

「怖いとは思いませんでした。最初は、ぜんぜん怖いとかじゃなくて、みんな、ただ面白がってるんだろうって。それぐらいにしか考えてなかったんです。それに尾崎くんが、『おい、やめろよ。俺の女だぞ』なんて言ってくれたりしてたし……」

後日、景子さんはそう証言している。ただ、そのうち場の空気が変化してくる。

「冗談だったとは思うんですけど、須田さんが、『ここで本番ヤッてみせろよ』って言い出したんです。最初は、尾崎さんも、『やだよ』なんて笑ってたんですけど、そのうち須田さんがふざけて景子さんに抱きついたら、ムカッとしたらしい尾崎さんが須田さんを蹴《け》り飛ばして、蹴り飛ばされた須田さんが、俺らに思い切りぶつかって……、なんていうか、本当にあっという間だったんです。部屋の空気が、妙に殺気立つっていうか、ピリピリした感じになって……。須田さんと尾崎さんって、正直、あんまりうまくいってなかったんですよ。同級生で、同じように名門高校のピッチャーだったわりに、どうしても技術のある尾崎さんのほうが監督やコーチたちからも注目されてたし、だから、本当にたまたまこの日にそれがぶつかったっていうか……、ぶつかったんだけど、一瞬で須田さんが負けたというか、負けを認めたような感じで、その腹いせのように、横にいた景子さんを無理やり押し倒そうとしたんです。その瞬間、須田さんが尾崎さんを見て、エヘヘッて笑ったような気がします。わざとふざけて尾崎さんに媚《こ》びるような感じです。たぶん、それで尾崎さんも須田さんを許したっていうか、てっとり早く仲直りするために、同じように景子さんに抱きつこうとして……」

この妙な空気の変化を感じ取った景子さんは、間一髪でその場から逃げ出している。

立ち上がったとき、誰かに腕を摑《つか》まれた記憶はあるが、辛うじて振り払い、集会室を飛び出したという。

直後、景子さんは廊下でA子さんとすれ違う。なのに、気が動転していたせいで、A子さんには何も告げずにトイレへ駆け込んでしまったのだ。A子さんは何も知らず、男たちの待つ部屋へ戻った。

「私は、A子が集会室に戻ったあとも、そこに帰るのがなんだか怖くて、しばらく廊下に立ってたんです。五分くらいぼんやりしたあと部屋に入ると、さっきまで私がいた場所に、A子がいました。最初はA子も笑ってたんです。本当に、笑ってたんです。『やめてよ』とかは言ってたけど、本気って感じじゃなくて……。だから、私、『ああ、さっきまでの雰囲気じゃなくなったんだ』って思って、みんなとは少し離れた場所でテレビを見始めました。なるべく、A子のほうは見ないようにしてました。でも、テレビの画面にA子たちの様子が映ってて。誰かがA子のことを羽交い締めっていうんですか、こうやって後ろから両腕の下に腕を入れるのが見えて、そしたら、今度は別の誰かがA子の口を押さえて。でも、私、まだ冗談だと思ってたし……。だって、たまに私も、家でお兄ちゃんたちにそうやってからかわれたりしてるから……」

このとき、A子さんと景子さんの距離は五メートルと離れていない。A子さんがどんな表情をしているか、見ようと思えばはっきりと見えたはずだ。

「でも、私、やっぱり止めなきゃって思って。怖かったけど、振り返ったら、もうA子の身体《からだ》はみんなに囲まれて、見えなくて。顔とかは座布団で押さえつけられてるみたいだったし……。で、私、急に怖くなって……。ぜんぜんA子の声が聞こえなかったんです。本当に静かだったんです」

このとき、A子さんを助けてあげようと思わなかったのかとの質問に、「助けようとは思いませんでした。ただ、『助けられない。もう助けられない』とはずっと思ってました」と景子さんは答えている。

驚くことに景子さんは十五分近くも、その場でレイプされるA子さんを見ていた。いや、見ていなかったのだ。

「どれくらい経《た》ったのか分からないけど、気がついたら、私、一人で部屋を出てたんです。このままここにいたら、自分までA子みたいな目に遭うと思って……」

景子さんが寮の玄関を出たころ、一瞬の隙《すき》をついたA子さんが、男たちから逃げ出している。その際、悲鳴とも叫びともつかない声を上げる。この叫び声は、寮とブロック塀を挟んで隣に建つアパートの住人にも聞こえたほどで、実際、警察に通報したのは、このアパートに暮らす六十代の女性だった。

集会室を飛び出した半裸のA子さんは、薄暗い廊下で再び男たちに捕まるが、彼らの腕を気がふれたような声を上げながら振り払った。

奇声を上げるA子さんを見て、事の重大さにやっと気づいた彼らは、とつぜん、「ごめん、ごめんって」と声をかけ、どうにか落ち着かせようとしたらしい。ただ、A子さんは彼らに触れられれば触れられるほど暴れ、その際に後頭部を壁に強打し、失神している。

「なんかやってんな、とは思ってました。でも、階段の踊り場から下を覗《のぞ》いたとき、先輩たちが半裸の女を取り囲んでるし、半裸の女はギャーギャー泣いてて気味悪いし、俺、すぐに自分の部屋に戻ったんです。手出しできる状態じゃなかったし、いろいろ面倒なことに巻き込まれるのも嫌だったし……。そしたら十分後くらいかな、パトカーのサイレンが聞こえてきて……」

これは、たまたま当夜、二階の自室に残っていた事件と直接関係のない一年生部員の言葉である。

○

柱の陰に立っていたはずが、長い記事を読み終えたとき、渡辺は半身に強い日差しを浴びていた。よほど集中していたのか、額に浮かんだ汗にも気づかず、記事から顔を上げたとたんに、眉毛《まゆげ》を伝った汗が一粒、紙面に落ちた。落ちた汗はすぐに紙面に染《し》み込んだ。汗染みの箇所に書かれた「特に、景子さんが面白がって、傷に触れたりしていました」という文章が滲《にじ》む。

室内では相変わらずひっきりなしに電話が鳴っている。ずっと鳴っていたはずなのに、記事を読んでいた渡辺の耳には届かなかった。ひどく喉《のど》が渇いていた。汗に滲んだ箇所を、渡辺は親指の腹で軽く擦《こす》った。

面白がって。傷に。触れたりしていました。

滲んだ文字を小さく声に出して読んでみる。

記事を読みながらずっと脳裏に浮かんでいたのは、自分が大学の四年間を過ごしたラグビー部の寮の光景だった。もちろん事件とは何の関係もないのだが、まるで自分が暮らしたあの寮でこの事件が起こったような気がしてならない。

面白がって。

傷に。

触れたりしていました。

渡辺はもう一度小声で呟《つぶや》いた。

膝《ひざ》。脛《すね》。肘。顳顬《こめかみ》。尻《しり》……。

あのころ、いつも身体のどこかに生傷があった。擦り切れた皮膚にかさぶたができ、そのかさぶたがまた破れて血が噴き出し、その血がドス黒く固まっていく。日々の練習でできた傷は、溶岩を思わせた。赤く燃えて噴き出しながらも固まり、また破れて流れ出る。

渡辺がラグビーを始めたのは、小学校五年のときだった。地元札幌市に名門のラグビースクールがあり、母親の反対を押し切って入部した。

ラグビースクールに入りたいと告げたとき、母親は一瞬、露骨に嫌な顔をした。渡辺はわざと目を逸《そ》らし、どうしてもやりたいのだと懇願した。懇願しながら、その数日前に目撃した光景を、必死に頭の中から振り払おうとしていた。

当時、渡辺の母親は市内の雑居ビルで、「サザン」というパブを経営していた。父親は渡辺が三歳のころに病死していた。「サザン」は、二十二歳という若さで未亡人になった母親が必死の思いで出した店だったのだ。

形ばかりのカウンターと、四人掛けのテーブル席が六つほど並んだ店だった。この手の店にしては店内も広く、団体客の貸し切りパーティーなどで繁盛《はんじょう》していた。利用するのは近隣の大学運動部が多かった。

その夜、渡辺はいつものように塾の帰りに「サザン」へ向かった。古い雑居ビルの階段を三階まで上がり、踊り場の見慣れたオレンジ色の看板が見えたとき、妙な胸騒ぎがしたことを覚えている。

踊り場には店内からカラオケの音楽が流れていた。まだ小学生の渡辺から見れば「お兄さん」たちがいつものように、酒を飲み、楽しげに歌っているに違いない。

妙な胸騒ぎを覚えながらも、渡辺が階段を上がろうとすると、ちょうど曲の間奏が終わり、マイクを通して女の歌声が聞こえた。歌っているのは母らしかった。一人で店を切り盛りしている母も、たまに客にせがまれてマイクを持つこともある。ただ、この夜、聞こえてきた母の歌声が、どこかいつもと違っていた。

店のドアはガラス張りだった。上下のガラスに一枚ずつポスターが貼《は》られていた。大学吹奏楽部の公演ポスターもあれば、地元演劇サークルのものもある。

渡辺は階段を這《は》うように上がった。上がるにつれて、母の声がいつもと違うことがはっきりと分かってくる。

階段の途中まで来ると、渡辺は顔だけを突き出して、ドアのポスターの間から店内を覗いた。いつもと変わらぬ「サザン」の店内だった。見覚えのある運動部員たちがマイクを持った母を囲むように座っている。

渡辺はほっとして階段から立ち上がろうとした。そのときだった。少し離れたテーブルから、ポップコーンが母に投げられたのだ。母は慌《あわ》てて顔を背けた。それでも花吹雪のように散ったポップコーンが、きれいにセットされた母の髪を汚す。

周囲から笑いが起こる。どういう経緯で母が歌わされているのか分からないが、マイクを持つ母の横顔はひどく怯《おび》えており、笑おうとする口元がヒクヒクと引き攣《つ》っている。それでも必死に歌おうとするものだから、ますます声の震えが伝わってくる。

渡辺は立ち上がろうとした階段に、またしゃがみ込んでしまった。まるで自分が男たちの前に立たされ、無理やり歌を歌わされているようだった。

母の歌に、大袈裟《おおげさ》な手拍子を取っていた男たちが、突然、立ち上がって母を取り囲んだのはそのときだった。母は慌てて逃げようとしたが、屈強な男たちの動きは素早く、あっという間に母の体を胴上げするみたいに持ち上げた。

本当に一瞬のことだった。母を抱え上げた男たちは、何がおかしいのか、ゲラゲラと笑いながら母の体を大きく揺らす。「歌ってよ！　歌えよ！」と声を上げ、男たちの頭上で、空《くう》を摑むようにもがいている母に、無理やりマイクを摑ませる。

乱れた男たちの手が、母の肩を押し上げていた。両足がバラバラになり、スカートが捲《めく》れて、太腿が露《あらわ》になった。それでも男たちは母を下ろさない。

曲は無情に流れ続けた。無理やりマイクを持たされて、母はそれでも歌い続けた。


動けなかった。店内にいる男たちが、恐ろしかった。

元々、渡辺は運動神経の良い子供だった。運動会のリレーでは毎年アンカーに選ばれていたし、小学生にしては身長もあり、地元のラグビースクールに入ると、数ヶ月でレギュラー選手となっていた。市営のグラウンドを、全速力で駆け抜けるのは気持ちよかった。敵を躱《かわ》して速く走れば走るほど、自分が何かに近づいているような気がした。

中学に入ると、ラグビー部はなく、陸上部に入部した。主に中距離を走ったが、中学総体の４００メートルで決勝に残ったこともある。ただ、週に一度のラグビースクールにも通い続けていた。走るだけでは物足りなかったのかもしれない。敵を躱し、敵を倒しながら前へ進むのが好きだった。

高校は陸上の推薦を蹴《け》って、名門ラグビー部のある学校へ入った。高校生というよりもラグビー部員として三年間を過ごしたように思う。気がつけば、風呂場《ふろば》の鏡で見る自分は、見覚えのある男たちと同じような身体になっていた。その瞬間、渡辺は中に入れたと思った。あの夜の「サザン」の店内にやっと自分が入れたような気がした。弱い母の側ではなく、強い男たちの一員になって。

◯

後付けの流し台には、壁から蛇口が伸びている。栓を捻《ひね》ると、蛇口全体がビクンと震える。足元のビニール袋からペットボトルを取り出すと、俊介は、一本一本丁寧に洗い始めた。水やお茶のボトルなら楽だが、オレンジジュースなどは水を入れ、強く振らないと底にこびりついたカスが取れない。

これまで分別だけでよかったペットボトルの廃棄方法が変わったのはひと月ほど前だった。キャップを外し、ラベルを剝《は》がし、そして中を水洗いする。ボトルが溜《た》まると俊介がこうやってゴミ捨て場のネットに捨てに行く。

足元のビニール袋には、二十本近いペットボトルが詰まっている。つい先日も、まとめて捨てたような気もするが、暑い日が続いているせいか、二人で飲んだペットボトルはすぐに溜まる。

玄関で物音がしたのはそのときだった。数日前からかなこは「せせらぎの郷温泉」

でのバイトを始めていた。

「遅かったな。バイトでも残業あるのか？」

俊介が声をかけると、「いつ、帰ってきたのよ？」と怒ったような、ほっとしたようなかなこの声が返ってくる。

「さっき」

俊介は水を止めた。強く栓を捻ったとたん、また蛇口がビクンと震える。

「警察に連れて行かれたっていうから、駅前で待ってたのよ」

「誰に聞いたんだよ？」

「夕方、仕事から戻ってきたら、ちょうど工場の人から連絡あって」

「ごめん。いったん工場に戻って、自転車で……」

言い終わる前に、かなこが台所へやってきた。働き始めたばかりの「せせらぎの郷温泉」のロゴ入りTシャツを着ているが、胸元に汗染みがある。呑気《のんき》にペットボトルを洗っている俊介を見て、かなこの表情がより険しくなる。

「もしかして心配して、駅で待ってたのか？」

「普通、心配するでしょ」

「ごめん。……なんでもないんだよ」

「でも警察に呼ばれたんでしょ？」

「あの女が、またくだらないこと言い出したらしくてさ」

「くだらないことって？」

「知らないよ」

俊介はうんざりしたように答え、洗ったペットボトルを握り潰《つぶ》した。

工場へ刑事がやってきたのは、終業ベルが鳴る五分ほど前だった。俊介はいつものように資材ストック置き場で、ベルが鳴るのを待ちながら在庫票に数量を書き込んでいた。

この時間、普段ならラインも停止し、二階事務室で鳴る電話の音も聞こえるほど工場内は静かなのだが、入口のほうが何やらざわついている。

機材の陰から顔を出すと、ちょうど工場長がこちらを指差しており、「あ、いた、いた。彼ですよ、彼が尾崎くん」と、横に立つ男たちに説明した。

男たちが私服刑事だとすぐに分かった。年配のほうは、事件以来、何度か自宅に聞き込みに来た刑事だったからだ。

俊介は在庫票を壁のフックにかけて通路へ出た。刑事たちが工場長の案内も待たずに近づいてくる。

「すいませんね、お仕事中に」

声をかけてきたのは、がっしりとした体軀《たいく》の年配のほうで、シャツはもちろん、腕にかけたジャケットにまで汗染みがある。

俊介は無言で会釈《えしゃく》した。

あとを追いかけてきた工場長が、「尾崎くん、ほら、例の事件のことで、なんか訊《き》きたいことがあるんだって」と早口で教えてくれる。ヘルメットの内側から流れる汗を拭《ふ》こうともしない。

俊介は立ちはだかるように並んだ二人の刑事を見比べた。

年配のほうは笑顔を浮かべているが、若いほうは嫌悪感《けんおかん》を剝《む》き出しにしている。工場の雰囲気はさほど緊迫した様子でもなかった。中には作業に戻る従業員もいた。

「ちょっといくつか確認したいことがありましてね。で、こうやってお仕事が終わるころを見計らって伺ったんですよ」

年配の刑事が笑顔を絶やさずに言う。俊介はてっきりこの場で答えればいいのだろうと思ったのだが、とつぜん若い刑事から強く肩を押された。一瞬、工場長も怪訝《けげん》な顔をする。

「じゃ、ちょっと先に帰らせてもらっても……」

咄嗟《とっさ》に俊介がそう言うと、「え？　ああ、もちろん、もちろん」と慌てて頷《うなず》いた工場長が、「ベルが鳴ったら、タイムカード押しとくから」と付け加える。その瞬間、工場内にベルが響き渡った。

「あら、今、鳴った」

工場長の笑い声が背中に聞こえた。

車で十五分ほどの警察署へ到着すると、案内されたのは取調室ではなかった。署員たちのデスクの並んだ部屋の磨《す》りガラスのパーテーションで区切られた一画で、古い応接セットがあり、年配の刑事がペットボトルの緑茶を持ってきてくれる。

「これも、ここで飲む分には、さっとゴミ箱に捨てればいいけど、家で飲むとラベル剝がせ、中を洗えって、女房がうるさくて」

場をなごませるように刑事が言う。若いほうの刑事の姿はなかったが、話はすぐに始まった。

「いや、実はですね。立花里美さん、彼女が事件に関しては依然黙秘のままなんですが、あなたの名前をね、最近、頻繁に出すようになってましてて」

「僕の？」

「ええ。あの、率直にうかがいますが、彼女、立花里美さんとはどんな関係だったんですか？」

「関係ですか？」

刑事の口から出てきた予想外の質問に、自分が混乱しているのが分かった。

「関係と言われても……、お隣で……」

「簡単に言うと、まぁ、男と女の仲だったわけですかね？」

「え？」

思わず溢《こぼ》れた声が、仕切りの向こうまで響いた。

「まぁ、そんなに驚かれなくても……」

俊介の慌てぶりに、刑事が苦笑する。

「……彼女の話、まぁ、ぽつりぽつりとなんですが、その話を繋《つな》ぎ合わせていくと、どうもそういう印象が浮かんでくるんですよ」

「あの女……、いや、彼女、何て言ってるんですか？」

「いや、だから、それは……」

「な、何の関係もないですよ！　そりゃ、隣だから顔を合わせれば挨拶《あいさつ》くらいはするし、彼女の息子と何度か遊んでやったことはありますけど、彼女の家に上がったこともなければ、そ、そんな……」

「まぁ、そう興奮しないで」

「だ、だって」

「は、はいはい。分かりました。関係はないと」

「ありませんよ！」

「彼女の話もね、まぁ、どこまで信じていいのか分からないってところも多くて、正直、私たちも困ってましてね。ただ、一応、容疑者ですから、その口から出てきた話は、真偽を調べてみる。これが仕事ですのでね」

冷房の効いた部屋だったが、なぜか汗が噴き出していた。里美の嘘《うそ》にも腹が立つし、あんな女の言葉を信じる警察にも馬鹿《ばか》にされているようだった。俊介は落ち着こうとペットボトルの緑茶を一口飲んだ。

「すいませんね。あんまり冷えてなくて」と刑事が謝る。俊介は苛立《いらだ》ちながらも、

「いえ」と答えて、もう一口飲んだ。

「あ、そうそう。あなた、あの美人の奥さんとは籍入れてないんですってね」

刑事が唐突に話題を変えたのはそのときだった。まるでその話が本題だったかのように、口調が落ち着いている。

「何か、関係があるんですか？」

刑事はかなり長い間、俊介の瞳《ひとみ》の奥を覗《のぞ》き込み、「いや、別に。あ、そうだ。帰りは署の車で送りますから」と告げて出て行った。

正直、呆気《あっけ》にとられ、出て行く刑事に声をかけることもできなかった。

数分後、現れたのは若いほうの刑事だった。露骨に嫌悪感が浮かんだ表情に変わりはなく、「わざわざご足労願ってすいませんでした。車でご自宅までお送りしますので」と、とってつけたように丁寧に言う。

長居したい場所でもなく、俊介はソファから立ち上った。若い刑事のあとを追って部屋を出ると、階段の手前で刑事がふと立ち止まる。

「電車で帰りますから、送ってもらわなくても結構です」

俊介はその背中に声をかけた。振り返った刑事が、「そうですか。じゃ、私はここで」と無愛想に応《こた》える。一瞬、かっと頭に血が上った俊介が、刑事の傍らをすり抜けようとしたときだった。

「俺、あんたみたいな男、虫酸《むしず》が走るんだよ」と耳元で声がした。

思わず立ち止まった俊介に、「あんたが昔、やったことだよ。寄ってたかって女を犯したんだろ？」と刑事が言う。

俊介は黙って若い刑事の顔を見返した。

「ちょっと調べたら、すぐ出てきたよ」

俊介は視線を逸《そ》らし、目の前の階段を下りた。ずっと背中に視線を感じていたが、一度も振り返らず、そのまま警察署をあとにした。

○

携帯の着信音で、すでに怒っているのが分かるようなデスクからの連絡が入ったのは、渡辺が会社近所の喫茶店で、部下の小林と珈琲《コーヒー》を飲んでいる最中だった。

小林とは一緒に出てきたわけではないのだが、たまたま混み合った定食屋で隣り合わせてしまい、「部下に会ったんだから、食後の紅茶くらい奢《おご》って下さいよ」という彼女に無理やり喫茶店に連れ込まれていた。

桂川の事件は、立花里美の逮捕で一段落していた。まだ黙秘を続けているらしいので、真相は公判まで待たなければならないかもしれず、かと言って、今の日本で他に事件が起こらないわけもないのだが、今のところ、自分から率先して担当したくなるようなものもなかった。それでもデスクからの指示はある。それこそ珈琲でも飲みながら、今はそれを待てばいいと、久しぶりにのんびりしていた。

ちょうど小林もゴミ屋敷の取材を終えたばかりらしく、ここ数日は会社で待機しているらしかった。

デスクから怒りの電話がかかってきたのは珈琲を飲みながら、その小林が、「私、そこそこ美人だと思うんですよね。うちの会社じゃ、誰も認めてくれないけど。どうせなら裏方じゃなくて、レポーターとかそういう方面に進めばよかったなぁ。だったらきれいな服とか着られるのに」などと、呑気な愚痴をこぼしている最中だった。

携帯に出た途端、「おめぇ、何年この仕事してんだよ！」とデスクに怒鳴られた。声は隣のテーブルにも聞こえるほどで、殆《ほとん》ど反射的に目の前で小林が背筋を伸ばす。

「な、なんすか、いきなり」と渡辺は声を返した。

「何が、なんすかだよ、何が！」

携帯を耳から離しても、デスクの声ははっきりと聞こえる。

「桂川！　桂川の事件だよ！　お前、何をどう調べてたってんだよ！」

「何をどうって……、立花里美の逮捕で……」

「だから、その立花里美の何をどう調べて満足してんだってんだよ！」

「何か出てきたんですか？」

「隣の男だよ。お前、容疑者の隣に住んでる奴《やつ》、ちゃんと取材したんだろうな！」

デスクの怒声に、尾崎俊介の姿が浮かんだ。そして重なるように、記事で読んだ事件が立ち現れる。

知らず知らずのうちに顔色を変えていたのか、小林が伝票を持ってレジに急ぐ。

「……立花里美が取り調べの中で、隣の男、えっとなんて言ったかな」

「尾崎です。尾崎俊介」

「そう、その尾崎の名前をちらちら出すようになったんだってよ」

「尾崎の？」

「ああ、どうもなんか関係あるらしいぞ。お前、あんだけ張り付いてて、そんなことも気づかなかったのかよ。警察から漏れてきた話だと、かなりいい仲で、もしかすると尾崎の入れ知恵もあって、あの女、自分の息子を手にかけた可能性もあるって。そういう話し方してるらしいんだよ。お前、何か知らないのかよ」

「あの女と尾崎が、ですか？」

正直、想像もできなかった。

「そういう噂《うわさ》とか耳にしてなかったのかよ」

「はい。まったく」

デスクの怒声が落胆に変わる。

渡辺は、「とりあえず、すぐに戻ります」と答えて電話を切った。すでに会計を済ませた小林が、「どうしたんですか？」と心配そうに顔を覗き込んでくる。

渡辺は質問には答えず店を出た。出た途端、重く感じられるほどの日差しが全身に降りかかった。

尾崎と、立花里美がデキていた？

多少、冷静になった頭で考えても、どうしてもイメージが湧《わ》かない。山間《やまあい》に造成された団地の風景が浮かぶ。隣り合った尾崎と里美の家。両家の敷地を仕切るトタン板は破れ、申し訳程度に古いロープが張ってある。

会社へ戻る途中、カメラマンの大久保とドライバー派遣会社の両方に連絡を入れた。大久保はすぐに捕まったが、「できれば須田保さんをお願いしたいんですけど」と頼んだ派遣会社からは、「ああ。須田ですか。彼なら、辞めたんですよ。ついこの間」という返事だった。

「辞めた？」

「ええ。まぁ、契約で働かれていた方なんで、契約の期間がちょうど切れたんですけどね」

受付の男は素っ気なくそう告げた。代わりのドライバーを回そうかと言うので、

「だったら、結構です」と渡辺は断わった。

　桂川の団地の広場に到着したころには、すでに一台どこかの車が駆けつけており、尾崎宅前に記者らしい若い男の姿があった。

「渡辺さん、さっき、どうして例の話をデスクにしなかったんですか?」

　車を降りようとすると、同行していた小林が声をかけてくる。

　尾崎が在宅しているのかどうか分からないが、すでに大久保はカメラを片手に車を飛び出している。

　渡辺は踏み出そうとした足を止め、「もうちょっと、抱えてていいかな」と、後部座席の小林に言った。

「どうしてですか?」

「別に理由はないんだ」

「だって、もし本当に尾崎と里美がデキてたんなら、その尾崎が若い頃、それも名門大学野球部時代にレイプ事件起こしてたなんて、ネタとしてはかなりのものじゃないですか」

「そんなもん、すぐにどこの社だって調べ上げるよ」

「だから」

「うん、分かってる。でも、もうちょっとだけ、デスクには言わないでくれ」

一時間ほど前、渡辺は小林と一緒に社へ戻り、デスクから詳細を聞いた。やはり取り調べで里美が尾崎との関係を供述し始めたそうで、まだぽつりぽつりとしか話さないが、それでも二人の間には男女の関係があったのは間違いないらしい。だとすれば、今回の凶行の動機もぼんやりと見えてくる。

すでに妻のある尾崎との行く末を悲観した里美の、一種の心中未遂か。それとも逆に、二人には何かしらの約束があり、そのために萌が邪魔になったのか。となれば、この手の事件の動機としては、今どき珍しくもないものになる。

車を降りると、渡辺は大久保を追って尾崎宅へ駆け寄った。すでに到着していた若い男は、顔見知りの雑誌記者で、駆け寄ってきた渡辺に、「留守ですよ」と舌打ちをする。

「女のほうも?」と渡辺は訊《き》いた。

「たぶん」

渡辺は砂利敷の路地を奥へ向かった。組合会長宅からテレビの音が漏れている。

玄関から声をかけると、チワワを抱いた組合会長の奥さんが現れる。少し驚いたような顔はしたが、迷惑そうではない。

「あの、尾崎さんとこのご夫妻。お留守ですかね?」と渡辺は訊いた。

クソ暑いなか、チワワを抱いた様子を見るだけで汗が噴き出してくる。

「尾崎さん? いない?」

「ええ。声かけてみたんですけど」

「尾崎さんに取材なの?」

「すいませんね、いつまでも。ただ、やっぱりお隣の方なんで、何かコメントもらえないかと思って」

組合会長の奥さんは渡辺の言葉を信じたようで、「もしいないんなら、奥さんは仕事だろうし、旦那《だんな》さんは土曜日だから小学校のグラウンドじゃない」と教えてくれた。

「グラウンドですか?」

「ほら、子供たちに野球教えてるみたいだから」

「ああ、そうでしたね」

渡辺は挨拶《あいさつ》もそこそこに組合会長宅をあとにした。敷地から出ると、ついてきていたらしい記者が、「何か、分かりました?」と声をかけてくる。

渡辺は、「駄目、駄目」と顔をしかめてみせた。

小学校のグラウンドまでは、渓流沿いの市道を歩いて十分ほどだった。日差しは強かったが、眼下に流れる渓流を眺めているだけで、いくぶん暑さにも耐えられる。澄み切った水には、青々とした樹々《きぎ》が映り込んでいた。激しい流れで、その像を結ぶことはなかったが、真っ青な夏空を背景に、水の中で揺れる樹々は美しかった。

子供たちが練習する光景を、尾崎はフェンスを摑《つか》むようにして、グラウンドの外側から眺めていた。

金属バットの音と甲高い子供たちのかけ声が、夏空に響いている。しばらく背後から尾崎の様子を眺めていた渡辺は、ゆっくりとフェンスに近づき、足音に気づいた彼が振り返ると、「暑いですね」と気軽な感じで声をかけた。

尾崎はすぐに渡辺のことを思い出したようで、また、あんたか、とでも言いたげな顔をして、グラウンドに視線を戻した。

「このチームのコーチをやられてるんですか?」と渡辺は声をかけた。

横に並んで、尾崎と同じようにフェンスを摑むと、振動が上のほうまで伝わっていく。顔を覗《のぞ》き込まれるのが面倒なのか、「このチームじゃないですよ」と尾崎が目を背ける。

「じゃあ、敵チームの視察ですか？」

わざと軽い調子で言ってみたが、尾崎は表情を変えない。

「あ、そうそう。うちでドライバーやってもらってる須田保さんと、大学で野球部の同期だったんですってね」

渡辺は視線をグラウンドに戻して、そう言った。

横で尾崎がちらっと自分を見たのは分かったが、敢《あ》えてグラウンドを見つめたまま、「須田さん、つい最近、仕事辞めたみたいですよ。元々、契約社員だったらしくて、その契約期間が切れたかららしいですけど」と伝えた。

「何の用ですか？　例の事件のことなら、何度も言ってるように話すことなんかないんですよ」

尾崎がうんざりしたように言う。

「警察に呼ばれたそうですね？」

尾崎の言葉に重ねるように、渡辺は言った。一瞬、尾崎の顔つきが変わる。

「何、訊かれたんですか？」

尾崎はフェンスを離れて立ち去ろうとした。渡辺はその前に足を踏み出した。

「何かあったんですか？　立花里美と」

尾崎がじっとこちらを見つめていた目を、またグラウンドへ向ける。

「尾崎さんが大学時代に何やったか、……知ってますよ」

尾崎はフェンスを摑む。強く摑んだせいか、フェンスが音を立てる。グラウンドでは五十代の男が窮屈そうなユニフォーム姿で、子供たち相手にノックをしていた。球が飛ぶたびに、駆け出す子供たちの足元で乾いた土埃《つちぼこり》が立つ。

「隣の女とは何の関係もないですよ。……もういいですか」

ひどく疲れた口調だった。フェンスを離れ、歩き出した尾崎の背中に、渡辺はそれでもまた声をかけた。

「ここから逃げても、他の記者が家に来ますよ。今のところ、まだあなたの過去を知ってるのはうちだけだけど、そんなもんすぐにバレますよ。バレれば大騒ぎになりますよ」

尾崎は立ち止まることもなく、ゆっくりと歩いて行った。

○

帰宅途中にスーパーで買ってきた総菜を、俊介は小皿に取り分けた。かなこが仕事から戻ったのはそのときだった。

俊介は慌《あわ》てて玄関へ飛び出した。足音に驚いたかなこが、小さな悲鳴を上げるほどだった。

「外。誰も、いなかったか？」

まだ開いているドアの向こうを、俊介は覗き込んだ。幸い、かなこのあとについてくる人影はない。

グラウンドから戻ってきたとき、広場には二台の車があり、うち一台から降りてきた記者に、「立花里美とどのような関係だったのか？」と声をかけられた。

「何の関係もありません」

それだけ答えて、俊介は足を速めた。ついてくるかと思ったが、記者は落胆した様子も見せず、「そうですか」と答えただけだった。

その後、窓から広場を覗いてみたが、しばらく車は出て行かなかった。ずっと見ているわけにもいかず、風呂《ふろ》に入った。出て来たときには、二台とも広場から姿を消していた。

俊介の慌てぶりに驚きながらも、かなこは疲れ果てたように上がりかまちに腰を下ろした。

「さっきまで、マスコミの車がそこに停まってたんだよ」と俊介は言った。

「また？」

サンダルを脱いだかなこの踵《かかと》が、少しだけ汚れている。

「疲れたろ？」と俊介はかなこの肩を揉《も》んだ。

「また取材始まったの？　だって、もう里美さん、いないじゃない」

首を回しながら、かなこが尋ねる。

「そうだけど。ほら、あの女が警察で俺となんかあったなんて言い出したもんだから、それがマスコミにも伝わってるみたいで……」

「そうなの？」

「ああ。それで、『本当に関係があったんですか？』なんて、くだらないこと訊いてくるんだよ。いろんな奴《やつ》が」

「家にも来たの？」

「いや、外で」

「みんな、そんなこと、信じてるんだ？」

そのとき台所で炊飯器のスイッチが切れる音がした。

「疲れたろ？　総菜だけど、すぐに食えるよ」

そう言って、俊介はかなこの肩をぽんと叩《たた》いた。

「昨日まで売店の補助だったからよかったけど、今日なんて一日、週末で忙しかったから、浴室の掃除までさせられたのよ。もう、くったくた。なんで女風呂の洗面台って、あんなに汚れてるかなぁ。髪の毛が張りついた洗面台なんて、ほんと見てるだけで気味悪いのに、それを拾い集めてくなんてさ……」

居間へ戻ると、俊介はテーブルの上を片付けた。散乱していた雑誌や細々した物が、テーブルの隅に押しのけられていく。

「先に風呂入るだろ？」と俊介は声をかけた。

冷蔵庫から缶ビールを取り出したかなこが、ごくりと一口、音を立てて飲んだあと、「うん。あ、そうだ。せっかくだからお風呂上がりまで待てば良かった」と言いながら、疲れた足取りで風呂場へ向かう。

俊介は散らかった部屋を見渡した。この家でかなこと暮らすようになって半年、まだ一度も掃除らしい掃除をしたことがない。

元々、俊介は几帳面《きちょうめん》なほうだった。だが、俊介が掃除をしようとすると、かなこが嫌がる。整頓《せいとん》された部屋が嫌いなのではなく、ここでの生活が本当の「生活」らしくなっていくことを、かなこは拒んでいるのだと思う。

首を振る扇風機の風が、テーブルの雑誌のページを捲《めく》り、カーテンを揺らし、汗ばんだ俊介の首筋に当たる。

○

集会室と呼ばれる和東大学野球部寮の広間には、部員たちの汗と厨房《ちゅうぼう》から漂う米の炊《た》けた匂《にお》いが混じり合っていた。壁際《かべぎわ》で古いエアコンが唸《うな》っている。

グラウンドを望む窓にカーテンはつけられておらず、強い西日が古い畳に差し込んでいる。ついさっきまで誰かが室内にいたらしく、テレビはつけっぱなしで、ちょうどテレビを囲むように、古い畳の上に毛布が散乱している。

渡辺は肩に食い込むバッグの中からデジタルカメラを取り出すと、室内の写真を一枚撮った。

暑い夜だったに違いない、と渡辺はふと思う。

十六年前の夏の夜、この畳の上で四人の男たちが女を犯した。どこにでもいる運動部員たちが、どこにでもいる女子高生をレイプしたのだ。

渡辺は足元の毛布を踏みつけた。途端、記事で読んだ光景が浮かんでくる。浮かんでる若い男たちの額や肩は、脂汗《あぶらあせ》で光り、腕と腕とがぶつかるときのヌルヌルとした嫌な感触が蘇《よみがえ》る。女子高生の乱れた髪が浮かぶ。汗が落ちる。

渡辺は思わず踏んでいた毛布から飛び退《の》いた。

グラウンドをランニングしている野球部員たちの野太い掛け声が聞こえた。日盛りにはグラウンドはおそらく四十度近くあるはずだ。

「すいません、お待たせして」

どこか呑気《のんき》な男の声が、スリッパを鳴らす音と共に聞こえたのはそのときだった。入口に立っていたのは、渡辺と同年代の男で、真新しい白いポロシャツを着ている。

「渡辺さんですよね？　うちの神崎《かんざき》から話は伺ってます。すいませんね、こんなむさ苦しい部屋にお通ししちゃって。応接室に案内するようにって、あいつらには言っておいたんですけど」

走ってきたのか、男が額の汗をポロシャツの短い袖《そで》で拭《ぬぐ》う。

「いえ、案内してもらったんですけど、ちょっとここも見せてもらおうと思って」

渡辺は名刺を差し出した。

「立生大のラグビー部ご出身なんですよね？　たぶん渡辺さんの二年後輩になると思うんですけど、高安って奴がいませんでしたか？」

名刺を両手で受け取った男が尋ねてくる。

「高安、ですか？」

「身体《からだ》が異常にでかかったんで、たぶんポジションは……」

「ああ、ドンのことですか？」

「はい、そうです。ドンです、ドン。あいつ、大学でもそう呼ばれてたんですか？　あいつも今じゃ、田舎のガソリンスタンドで店長ですよ」

男が自分の名刺を差し出してくる。真っ白な紙に漆黒の文字で「和東大学野球部事務局主任　佐伯源一《さえきげんいち》」とある。

「ここじゃ、椅子《いす》もないんで、どうぞ応接室のほうへ」

集会室を出る間際、渡辺は振り返って室内を改めて見渡した。

「あ、そうか。ここですもんね、例の事件の現場」

佐伯がやけに軽い口調で言う。

「佐伯さんが現役のときも、その話は部内でよくされてたんですか？」

「いやぁ、もう僕らのころは出ませんでしたね。当時でも、すでに十年くらい前のことだったし。いや、もちろん話は知ってましたよ。ただ、事件が事件だけに、そのことに触れるのはタブーっていうか、どっかでそういう雰囲気は残ってたんでしょうね。

今、思い返してみると、ですけどね」

事件に関する資料を一通り読み終えた翌日から、渡辺は尾崎俊介のことを調べ始めていた。

自分でも何を知りたがっているのか分からなかったが、もやもやとした焦燥感に突き動かされていた。取材して特集にしようと考えているのかと言われれば、そうでもなかった。ただ、昔の雑誌記事に出てくる若いころの尾崎俊介と、あまりにもかけ離れた今の彼の姿が、どうしても結びつかなかったのだ。

渡辺はまず、大学時代のラグビー部の後輩に連絡を入れた。

「和東大なら、自分の後輩が通っていたので、誰か見つかるかもしれない」という心強い返事をもらい、その翌日には和東大の野球部出身で現在事務局に勤めているという佐伯源一と会える手筈《てはず》が整った。

間に何人くらい介在しているのか分からないが、さっき佐伯が口にした「神崎」というのもその中の一人に違いない。

応接室は廊下の突き当たりにあった。だだっ広い集会室にいたせいか、ひどく狭く感じられる。合成皮革のソファセット、ガラステーブルにはビニール製のレース風クロスがかけてあり、壁際の棚に古いトロフィーが並んでいる。

ソファに腰を下ろして待っていると、玄関ホールの自動販売機で烏龍茶《ウーロンちゃ》を買ってきてくれた佐伯が、「実のところ、事務局的には、あの事件の話は口外禁止なんですけどね」と、わざと囁《ささや》くようにして、後ろ手にドアを閉める。

「すいません、無理言って」

「いや、神崎さんの頼みだから断れないっすよ」

無意識に学生言葉を使ってしまったのに気づき、佐伯が頭を掻《か》く。渡辺は烏龍茶の缶を受け取り、「頂きます」と目礼した。

「えっと、それでですね、神崎さんから調べるように言われたものなんですけど……」

渡辺が烏龍茶を飲もうとすると、佐伯がずっと手にしていた用紙を広げた。

「一枚にまとめてプリントしたかったんですけど、なんだか、何度やっても二枚になっちゃって」

二枚の紙には、短い年表らしきものが書かれている。用紙の縦横を変更すれば一枚で収まったのだろうが、やり方を知らないのか二枚目に最後の部分だけがおまけのようについている。自分を不器用だと思う人間が、その不器用さを必死に隠そうとする不器用さとでも言えばいいのか、手元の年表からはそういった律儀《りちぎ》な印象が伝わってくる。

紙を広げる佐伯の太い指を眺めながら、今の編集部に配属されたとき、「お前、ワードも使えないのかよ」と、デスクに怒鳴られたことを渡辺は思い出した。

自分がラグビーだけをやってきたように、目の前にいる佐伯も野球だけの人生だったのだろうと思う。いわゆる普通の暮らしなどいつでもできると思っていたはずなのに、いざ、放り出された瞬間に、普通の暮らしというものがどれほど自分たちとほど遠かったのかを思い知る。

できないわけではない。ただ、やってこなかっただけ。

そう自分に言い聞かせれば言い聞かせるほど、野球やラグビーしかやってこなかった人生が、豊穣《ほうじょう》に思える反面、言いようのない焦《あせ》りがつのる。

「すいません、こんなものまで作ってもらって」

差し出された紙を、渡辺はありがたく手にした。一枚目の最初に、わざわざフォントを変えて「第34期生　尾崎俊介さん年表」と書いてある。

渡辺が早速、目で文字を追い始めると、自分で書いた文章を補完するように、佐伯が喋《しゃべ》り出す。

「その尾崎さんって方、事件のあと桜川証券に入ってますね。大杉さんっていう二年上の先輩に、引っ張ってもらったみたいです。この事件で有罪になった他の人は声をかけてもらってないみたいだから、そうとう先輩受けが良かったんでしょうね。まぁ、ラグビーの世界もそうでしょうけど、うちらもそういうコネだけで生きてるとこあるじゃないですか」

佐伯に水を向けられて、渡辺は曖昧《あいまい》に微笑《ほほえ》んだ。

「会社の上役たちは事情を知ってたんでしょうけどね、一般の社員たちには内緒だったと思いますよ。たぶん、尾崎さんがその会社に入ったことは、残ったうちの野球部員にも、秘密だったと思います。一応、犯罪者なわけですから。それも部が解散になりそうな事件を起こした人が、先輩のコネで一流会社に入ったなんて、内輪話にしてもあんまりいい話じゃないし」

紙から顔を上げた渡辺に、佐伯が控えめな笑顔を見せる。

渡辺は無表情のまま、また年表へ視線を落とした。すると、すぐに佐伯が説明を加えてくる。

「この尾崎さんって方、桜川証券で働きながら、通信制の大学に入ってるんですね。ちゃんと卒業もしたみたいですよ。たぶん、尾崎さんは尾崎さんなりに反省して、真面目《まじめ》に生きていこうとしてたんですよ」

年表には聞いたことのない大学の通信制学部卒業と書かれている。

「……二十一歳で入社、二十四歳で通信制の大学出て、二十七歳のときには主任になってるから、言ってみればエリートコースですよ。まぁ、通信制とはいえ大卒だし、上司の引きというかコネはあるし、三十四歳のときだから、今から二年前には係長に昇進して、そのあと、引き抜いてくれた大杉さんっていう先輩の妹さんと婚約してるんですよ」

「婚約？」

思わず渡辺は訊《き》き返した。現在、尾崎が桂川の市営団地で同棲《どうせい》しているかなこが、その妹なのかと思ったのだ。しかし、佐伯がすぐに、「婚約はしたんですけど、そのあと急にいなくなってますからね」と首を傾《かし》げる。

「急に？」

「あれ？　ご存じなかったんですか？　次期営業部長の美人の妹さんと婚約して、さぁ、これで将来も安泰ってときに、この尾崎さん、何が不満だったのか、とつぜん姿を消してるんですよ。もちろん警察に捜索願も出されて、大騒ぎになったらしいんですけど、数ヶ月後、その先輩の大杉さん宛《あて》に詫《わ》び状が届いたらしくて。……まぁ、とつぜんいろんなことに嫌気が差すってことはあるんでしょうけど、でも、もったいないですよね。あんな事件を起こしたにしてはある意味、順風満帆だったのに……。ここで踏ん張ってれば良かったのになぁ。営業成績もかなり良かったらしいですよ。とにかく遅くまで働いて、いわゆる体育会の名残か、先輩たちに誘われれば、いつまでも酒に付き合って、それでも翌朝は誰よりも早く出社してたって話ですし」

佐伯はそこまで言うと、喉《のど》を鳴らして烏龍茶を飲んだ。

窓の向こうに水飲み場があり、グラウンドから走ってきた野球部員たちのスパイクがコンクリートを打つ音が響く。

「その後、連絡はなかったんですか?」と渡辺は訊いた。

「たぶんないんじゃないでしょうか。とつぜん婚約者が理由も告げずに失踪《しっそう》したんで、その妹さん、しばらく体調崩したみたいですよ。ただ、今はもう他の男性と結婚されてるって聞きましたけど」

「その大杉さんって方に会えないですかね?」と渡辺は訊いた。

「今、日本にいないらしいんですよ。上海《シャンハイ》だったかな、支店長になってるらしくて」

部員たちの姿は見えないが、水がコンクリートで跳ねる音がする。気のせいか、濡《ぬ》れたコンクリートの匂いがする。

順風満帆。

佐伯がこぼした言葉が、耳に残る。

渡辺が社に戻ったのは、午後八時過ぎだった。

戻る途中、車の窓から眺めた新橋の雑踏は、ほろ酔いの男たちが二軒目へ向かう姿も多かったのに、戻った編集部にはまだ煌々《こうこう》と明かりがつき、帰る者はおろか、「さあ、そろそろ仕事始めようか」と、この時間になってエンジンがかかる者もいる。

デスクについて、一服しながら佐伯が作ってくれた資料を見直そうかと鞄《かばん》を開けていると、背後からポンとファイルを机上に投げ込まれた。

振り返ると、小林が立っている。

「何これ？」

渡辺は灰皿に煙草《たばこ》の灰を落とした。

「今日、渡辺さん、例の大学に行ったんでしょ。私も、別方向から調べてみたんですよ」

「別方向？」

「そう。なぜか渡辺さんが加害者の方ばっかり気にしてるみたいだから」

渡辺は首を傾げながらファイルを開いた。最初のページに「和東大学野球部レイプ事件被害者／水谷夏美《なつみ》　資料」と書いてある。

「これって？」

「そう。あの事件の被害者。悲鳴を上げて、寮の集会室から逃げ出した女の子」

抑揚のない声で小林が告げる。

「こんなこと、頼んだ覚え……」

「私が勝手に調べてみたんですよ。桂川の事件にも、あの男、尾崎でしたっけ？　彼が今後絡《から》んできそうだし。となると、彼の過去を暴《あば》くにしても、話は膨らませたほうが面白くなるし、尾崎の悪魔ぶりも際立《きわだ》つと思って」

「それで、この二、三日、顔見せなかったんだな」

渡辺は改めてファイルに視線を落とし、「で、どうやって調べたんだよ？」と、指先でパラパラとページを捲《めく》った。

「まず、ご両親、親戚《しんせき》は完全に取材拒否。事件当時、一緒にいたもう一人の女性には連絡取れずで、どうにか高校時代に彼女とわりと仲が良かった女性を探し出して」

「それが何か喋ってくれたの？」

「喋ってくれるわけないじゃないですか。仲良かったんだから」

「じゃあ、誰に聞いたんだよ？」

「だから、この前もなんかの取材のときに言ったじゃないですか。女の子のことを調べるなら、仲の良い友達より、仲の悪かった子に聞けって」

小林は椅子を引っ張ってきて、渡辺の後ろにどかっと座った。

「先に言っときますけど、悲惨ですよ。たぶん、渡辺さんが想像しているより、もっと」

「え？」

「だから、被害者女性のその後」

「あ、ああ」

渡辺は煙草を灰皿で押し潰《つぶ》した。

「調べてみようと思ったとき、実は、ちょっと希望はあったんですよ。まぁ、ヒドい目には遭ったけど、今は幸せに暮らしていますって、そんな結果だったらいいなって。個人的には、結婚して子供がいれば幸せってわけでもないと思ってますけど、まぁ、この場合はそれでもいいかなって」

渡辺は手元のファイルを開いた。そこには、高校二年の夏休みに、尾崎俊介たちから暴行を受けた、一人の女性の人生が箇条書きで並んでいた。

「高二の夏休みに事件に遭って、三年になる時に転校してますね。ただ、この年頃の女の子たちって、そういうことには敏感で、転校先でもあっという間に噂《うわさ》は広がったみたいです。いじめられたというほどでもないけど、まぁ、最後まで友達は出来なかったようですね。ただ、勉強は出来たみたいで、大学に進学してからは友達もできて、明るく活発な印象に戻ったらしいんですけど……。彼女の父親との仲が、事件後、どうもうまくいかなくなってたらしいんですよ。その子の話じゃ、彼女の父親も、あんな目に遭った娘を不憫《ふびん》に思ってはいたらしいんですけど、『なんでそんな男たちに、のこのこついていったんだ？』って気持ちもどっかにあったんでしょうね。大学に入るとすぐに、彼女、実家を出てるんですけど、その直後、ご両親は離婚してます」

「離婚……。しかし、短時間で、よくここまで調べたな」

「運も良かったんですよ。話をしてくれた子が、水谷夏美さんのご近所で、当人同士は仲良くなかったのに両親同士は結構付き合いがあったらしくて」

渡辺は資料の文字に視線を戻した。

平成五年　四月　S大学社会学部入学
平成九年　三月　S大学社会学部卒業
　　　　　　　　同年四月　大和損害保険株式会社に就職
平成十一年七月　大和損害保険株式会社を退職

同年九月　今井リース株式会社へ転職

「大和損保なんてデカい会社に入ってんのに、二年で辞めてんだな。……この今井リースって」

渡辺はファイルから顔を上げた。

「観葉植物から事務機器まで扱う小さなリース会社ですよ。社員数も十人程度じゃないですかね」

「なんかあったのかな？　元の会社で」

渡辺の疑問に、小林が得意げに左眉《まゆ》を上げてみせる。

「バレたんですよ。事件のことが会社の人たちに」

「なるほどな」

「それも、調べたのは、当時、彼女が社内恋愛してた男の親なんですすって」

「え？」

「ひどい話でしょ」

「でも、その両親がわざわざ会社の人に言うかな？」

「バラしたのは、付き合ってた男ですよ」

「なんで？」

「それがヒドい話で。普通、男って、こういう場合、恋人を守るもんでしょ？　それがそうじゃなかったらしくて……。社内でも公認の仲だったらしいんですよ。だから別れたとなると、理由を詮索《せんさく》されるわけですよ。ヘンな噂を立てられたんでしょうね。バカな男だと思うけど、それが嫌で、彼女の昔のことをべらべらべらべら」

「そりゃ、いられなくなるな」

「でしょ。彼女の母親も相当落ち込んじゃったらしくて、毎晩のように、その仲の良くなかった友達の家に来ては、彼女の母親に愚痴をこぼしてたって」

小林の話を聞きながら、渡辺はなぜか和東大学のグラウンドを思い浮かべていた。

平成十一年九月より四年八ヶ月間、今井リース株式会社に勤務
平成十六年六月　会社の取引先に勤務していた青柳亭《あおやぎとおる》と結婚
平成十七年春頃　昭和会病院に入院（流産の形跡あり）
平成十七年夏頃　怪我《けが》で同病院に入院
平成十七年秋頃　怪我で再入院

「これ、何だよ。怪我で入院、再入院って」

渡辺は資料を指で叩《たた》いた。

「嫌な感じするでしょ？　顔に痣《あざ》つくって、実家に戻ってきたこともあるって」

「旦那《だんな》か？」

「でしょうね」

「もしかして、これも昔のことがバレて、とか？」

「そこまではまだ……。でも、もしそうだったとしたら、私、思うんですけど、男の人って、そういう目にあった女性を、どんな目で見るわけですか？　私、正直、ぞっとしちゃうんですけど」

「どういう目って……」

「自分以外の男に抱かれた女が、憎くなるわけ？」

小林の口調が挑戦的になってくる。

「いや、そんなことは……」

「でも、うちみたいな男職場で働いていると、痛感するんですよね。男って、ほんとに嫉妬《しっと》深いっていうか、狷介《けんかい》っていうか……」

渡辺は目を逸《そ》らすように、資料を捲った。

平成十八年一月　実家に戻る回数が増える
ほとんど外出せず
少なくとも、二度、救急車が呼ばれている（自殺未遂の可能性あり）

平成十八年秋頃　失踪

「失踪？」

渡辺は思わず声を上げた。平成十八年と言えば、去年のことになる。

「その後、連絡は？」と渡辺は訊《き》いた。

小林が、ただ首を横に振る。

「って、ことは？」

「考えると可哀相《かわいそう》だけど……。だって、自殺未遂繰り返した末に失踪ですよ」

「嘘《うそ》だろ……」

「ほんとですよ！　だから、もしあの尾崎って男が、あんな事件起こしたくせにのほほんと未《いま》だに生きてて、奥さんもいながら、あの里美って女にも手出して、それで萌くんが亡《な》くなったんだとしたら、私、絶対に許しませんから。そんな自分勝手な男、私が殺したいくらいですよ」

渡辺はファイルをデスクに投げ出した。深呼吸のつもりで大きく息を吐くと、それが溜息《ためいき》のように響く。

報告を続けようとする小林を目配せで制して、渡辺は煙草に火をつけた。入口でバイク便の男が大声で依頼主を探している。誰か近くにいる者が教えてやればいいものを、声をかける者もいない。

やっと依頼主が見つかったらしく、バイク便の男がこちらへ歩いてくる。小林の背後を通る瞬間、手にしたヘルメットが椅子《いす》に当たり、ゴツッと鈍い音が鳴る。近くで見ると、彼の赤いTシャツが汗で変色している。

渡辺は奥で書類を受け取っているバイク便の男を眺めながら、「小林さん、どう思う?」と尋ねた。

「どう思うって、彼女の人生についてですか? そりゃ……、言ってみれば、何度も何度もレイプされたようなもんですよ! 事件のあと、彼女なりにがんばったんだと、私は思いますよ。自分でも忘れようとしたんだろうし、生まれ変わろうと必死だったはずですよ。でも、結局、誰も忘れてくれない……。ヒドい話ですよ」

声を荒らげる小林が、自分の訊きたかったことではないことを答えているような気がした。だが、では何が訊きたかったのかとなると、渡辺自身、それがうまく説明できなかった。

ガードレールの足元から伸びた雑草が、尾崎の脛《すね》を撫《な》でているのが渡辺の目にも分かった。歩道の白線まで伸びた雑草は、暑さでぐったりとしている。

ガードレールの向こうで、すとんと景色が抜け落ちており、覗《のぞ》き込めば深い谷間に渓流があるはずだ。岩を叩く激しい流れが、谷に響いている。

尾崎は額の汗を拭《ぬぐ》いながら坂を上っていた。車道を挟んで、渡辺は並んで歩いていた。尾崎の足元に伸びる白線が、日を浴びて今にも溶け出しそうに見える。

白線が一筋の流れとなって崖《がけ》から渓流へと向かう様子が目に浮かぶ。その線は水にも溶けて、川を白濁させるのだろうか。それとも一本の長い帯となって、白蛇のように河口へ向かうのだろうか。

二人の間を車が走り抜けていくたびに、排ガスが火照《ほて》った身体《からだ》に当たる。ちょうど、坂の上に「せせらぎの郷温泉」へ渡る赤い鉄橋が見える。

渡辺が最初に尾崎に声をかけたのは、団地の広場だった。

「どちらへ？」と、車の中から声をかけたのだが、尾崎は目を合わせることもなく通り過ぎた。

渡辺は車を降りて、尾崎を追った。その背中に、「また、少年野球の見学ですか？」と尋ねたが、やはり尾崎の返事はなかった。ただ、互いに踏みつける砂利の音が、まるで会話をしているようだった。

「……水谷夏美さん。彼女、あんまりいい人生じゃなかったみたいですよ」

渡辺がそう声をかけたのは、市道に出たところだった。思わず立ち止まった尾崎の足が白線を踏んでいた。

「やっぱり、忘れてるわけじゃないんですね」

独り言のように渡辺が呟《つぶや》くと、尾崎は逃げるように車道を渡った。同じ道でも渓流側のほうが幾分涼しそうに見えた。

「彼女が、その後どうなったか知ってますか？」と渡辺は道を挟んで叫んだ。

尾崎が歩調を速め、渡辺もそれに合わせて歩き出す。

「ヒドい目に遭ってますよ。付き合った男も最悪なら、結婚した男も最悪で。どの男も、あなたたちが彼女にしたことを、自分で受け入れられなかったみたいです」

車が通るたびに、渡辺は話を切った。尾崎はただ白線だけを見て歩いていた。

「自分でもちょっと考えてみたんですよ。もし、好きになった女が、そんな事件に遭ってたとしたら、自分はどんな風に思うんだろうって。……普通、そんなヒドい目に遭った女なんだから、男として守ってあげなきゃって、思いますよね。俺もそうなると思います。だけど、もしかしたら、それってきれいごとなんじゃないですかね。……彼女の、水谷夏美さんの、その後の人生を調べてるうちに、そんな風に思うようになっちゃって。あんな事件に遭った女と、ちゃんと向き合えるか。そんな目に遭った女を、そんな目に遭わなかった女と同じように見られるか。水谷夏美さんの人生を思えば思うほど、自分でも自信がなくなっちゃって……。そんな目に遭ったのは彼女のほうなのに、まるで自分がそんな目に遭ったような気がしてきて……、なんか、誰かに負けたような気がしてきて。でも、この誰かって誰なんすかね？」

渡辺は一方的に話し続けた。

こちらに顔を向けることもなく、坂を上がっていく尾崎の額に汗が光っていた。渡辺が黙ると、辺りは渓流の音だけになる。

自分でも何を伝えたいのか分からない。尾崎が犯した女の不幸なその後を伝えて、彼に何を言わせたいのか。——謝ってほしいのか。——泣いてほしいのか。——無視してほしいのか。——笑ってほしいのか。

ただ、一人で喋《しゃべ》り続けているうちに、自分がそれほど尾崎を憎んでいないような気がしてくる。憎んでいないどころか、まるで車道の向こう側を歩く自分に語りかけているような気さえする。

尾崎は、結局一度もこちらを向くこともなく、赤い鉄橋を「せせらぎの郷温泉」のほうへ渡り始めた。そこで初めて渡辺も車道を渡ろうと、数台続く車の列を見送った。車道を渡ると、短い鉄橋の中央で立ち止まっている尾崎の背中があった。眼下の渓流を覗き込むこともなく、かと言って自分を待ってくれているわけでもなく、ただ、とつぜん足の動きを止めたように、欄干の横に立っている。

渡辺は駆け寄った。足音が聞こえたのか、ふいに尾崎が振り返り、「来ないでくれよ」と呟く。

欄干から、渓流が見下ろせた。いつの間にか、高い所まで上ってきていたらしく、眼下の渓流が遠い。

「女房を迎えに行くんですよ。これ以上、ついてこないでくれませんか」

きっぱりとした口調だった。目の奥に好戦的な色も浮かんでいる。

「奥さんには知られたくないってことですか？」

尾崎の顔色は変わらず、ただ、じっと睨《にら》みつけてくる。

「まぁ、知られたい過去じゃないですよね」

渡辺はわざと茶化すように言った。

尾崎が諦《あきら》めたように、こちらに背を向け、また歩き出す。

「水谷夏美さん、もしかしたら、もう亡くなってるかもしれませんよ。行方不明になってもう半年以上になるそうです」

渡辺はその背中に叫んだが、尾崎は振り返らなかった。

尾崎が鉄橋を渡り終えるのを待って、渡辺もまた歩き出した。鉄橋を渡り切ると、舗装された道が樹々《きぎ》の向こうに見える温泉施設へ続いている。よほど混んでいるらしく、駐車場に入れなかった客の車が、ちらほらと路肩に駐車してある。

一定の距離をあけ、渡辺は尾崎の後ろを歩いた。やはり満車らしい駐車場の前を抜け、尾崎は建物に近づいていく。

チケット売り場の前に、パトカーが一台停まっているのが見えたのはそのときだった。尾崎の目にも見えたのか、とつぜん尾崎が駆け出す。慌《あわ》てて渡辺もあとを追った。

敷地内には足湯コーナーがあり、炎天下、家族連れが並んで足を浸《つ》けている。風呂《ふろ》上がりの火照った頬で、アイスクリームを舐《な》めながら歩いてくるカップルがいる。牧歌的な雰囲気の中、白と黒のパトカーはかなり目立つが、さほど客たちに注目されているわけでもない。

パトカーに駆け寄った尾崎は、後部ドアから車内を覗き、誰もいないことが分かると、首を伸ばして薄暗い施設内へ目を向けた。と、ほとんど同時に、大きな自動ドアが開き、中から二人の私服刑事と若い警官が現れた。

渡辺は咄嗟《とっさ》に近くにあった案内板の後ろに隠れた。

「あっ」

若いほうの私服刑事が、そう声を漏らすのが聞こえた。三人が一斉に、突っ立っている尾崎へ目を向ける。

「尾崎さん」

声をかけたのは、年配の刑事だった。

慌てたように警官が駆け寄ってくる。遅れて近づいてきた刑事たちを、尾崎はすでに知っているようだった。目礼とも会釈《えしゃく》とも呼べないような、微《かす》かな視線の動きがある。

「奥さんをお迎えに?」

年配の刑事が尾崎の前に立つ。まるで逮捕でもするように、若い二人ががっちりと尾崎を挟んで立っている。

正直、目の前で何が起こっているのか、渡辺には判断できなかった。緊迫した様子は伝わってくるのだが、それにしてはあまりにも周囲の人たち、足湯コーナーの家族連れや、アイスクリームを舐めるカップルたちに緊張感がない。まるで尾崎の周囲で起こっている出来事が、自分の目にしか映っていないようなのだ。

「今、奥さんにお話を伺ってたんですよ。いやぁ、面白い話が聞けました。それがね、先日、あなたの口から聞いたこととは、まぁ、ある意味、正反対でして」

そう告げたのは、年配の刑事だった。尾崎が顔を上げ、「正反対？」と尋ね返す。その表情には、どう見ても驚きしか表れていない。

「ええ。正反対。立花里美との関係ですよ。あなたは関係など何もなかったとおっしゃったが、奥さんにはそう見えてなかったようですよ。見えてなかったどころか、あなたと立花里美が頻繁に関係を持っていることは知っていて、相当、悩んでいらっしゃったみたいじゃないですか」

淡々とした口調だった。

「とにかく、ここではなんですから、署のほうへ。……いやぁ、これから、ご自宅のほうへ行くつもりだったんですが、まさか、ここにあなたがいらっしゃるとは思ってもいなかったですよ」

年配の刑事の話が終わらぬうちに、警官がパトカーのドアを開け、尾崎は抵抗することもなく後部座席に乗り込んだ。

乗り込む際、一瞬顔を上げた尾崎が、無理に首を伸ばして施設内へ目を向けた。伸びた首筋に汗が一筋垂れたのが渡辺の目にもはっきりと見えた。

あっという間のことだった。足湯コーナーの家族連れも、誰一人、気づかぬうちにパトカーが走り去る。

渡辺は木立の中を遠ざかるパトカーを見送った。正直、目の前で起こったことを、整理して理解する余裕もない。

尾崎の妻が証言した？

自分の夫と、あの女に関係があったことを知っていた？

本当に、尾崎とあの女がデキてた……？

渡辺は声に出して呟いた。言葉にすると、少しずつ考える余裕が出てくる。

砂利敷の広場が浮かんだ。寂れた団地だった。共同のゴミ捨て場からも、錆《さ》びたトタンの塀からも、雑草の生えた屋根からも、男と女の匂《にお》いどころか、生活感さえ感じられない場所だった。

案内板の裏から出た渡辺は、パトカーを追うかどうか一瞬迷った。どちらにしろ、尾崎が連行されたことはすぐに他の社にも伝わる。となれば、記者たちは一斉に妻のかなこへの取材攻勢を始めるはずだ。

渡辺はチケット売り場のほうへ顔を向けた。ちょうどそのとき、通用口らしいドアがゆっくりと開き、日差しに目を細めたかなこが出てきた。同僚なのか、ドアの隙間《すきま》から顔を突き出し、心配そうにかなこを見送る中年女性の姿も見える。

渡辺はもう一度、案内板の裏に隠れると、かなこが目の前を通り過ぎるのを待った。かなこが鉄橋へ向かう木立へ入り、見送っていた中年女性も安心したようにドアから顔を引っ込めた。

渡辺は案内板の裏から飛び出して、足早に鉄橋へ向かうかなこに駆け寄った。

「あの、すいません！」

声をかけると、かなこがビクッと立ち止まる。尋常ではない驚き方で、声をかけた渡辺まで思わず足が止まった。

振り返ったかなこは、怯《おび》え切っているように見えた。ついさっきまで警察の事情聴取を受けていたせいか、顔からは血の気も引いている。

渡辺は慌てて名刺を取り出すと、かなこの前に差し出した。かなこがごくりと唾《つば》を飲み込む音が、はっきりと聞こえる。

「あの、本当なんですか？　あなたの旦那《だんな》さんと立花里美さんが……」

かなこは差し出された名刺を受け取らなかった。数回、視線をあちこちに逸《そ》らし、居たたまれないように、また鉄橋のほうへ歩き出す。

渡辺は彼女を尾《つ》けた。木漏れ日が、かなこの美しいうなじを流れていく。このうなじを見ているだけでも、尾崎と立花里美がデキていたという話が、俄《にわか》には信じられない。

「そう警察におっしゃったんですよね？」と渡辺は訊《き》いた。

かなこは歩調を速めたが、渡辺も簡単に追いつく。あっという間に、二人は鉄橋まで来ていた。

「あの、尾崎さんと立花里美さんに関係があったというのは、本当なんですか？　私にはちょっと信じられないというか、想像ができないような……」

渡辺がそこまで言ったときだった。かなこがとつぜん足を止めた。そして、いきなり振り返ると、「本当です！　どうして、私が嘘《うそ》をつかなきゃならないんですか！」と叫んだのだ。

渡辺は一瞬、呆気《あっけ》にとられた。渡そうとした名刺が、手のひらの中で折れていた。

「そ、それはそうですけど……。でも、あなたみたいな奥さんがいるのに……」

「バカみたいなこと言わないで下さい。妻のいる男は、他の女と寝ないんですか」

「いや、一般論じゃなくて」

気がつけば、鉄橋の中央だった。ついさっき尾崎が立ち止まった場所だった。欄干に寄ると、谷底で白い飛沫《しぶき》が上がっている。横を車が通るたびに、足元が微かに揺れる。

「すいません。ただ、ちょっと私には信じがたくて……」

「何が信じられないんですか！　さっき警察の方にお話しした通りです。あの人は、里美さんと頻繁に会ってました。私の目を盗んで。私はもうだいぶ前から感づいていました。でも、あの人にも言えなかったし、里美さんにも問いただせなかった。ずっと悩んでたんです」

かなこはさっきよりも落ち着いたようだった。

「わ、分かりました。すいません、疑ったりして」

渡辺が下手に出たせいか、かなこが手の中の名刺に視線を向ける。渡辺は慌てて折れ曲がった名刺を渡した。

「……うまくいってなかったんですか？」

かなこが受け取ろうとしたとき、渡辺は訊いた。互いに一枚の名刺を摑《つか》み合ったままだった。

「だから……」

かなこが呆《あき》れたように、溜息《ためいき》をつく。

「いえ、分かってます。ただ、私にはうまくいっているように見えたというか……」

「あなたに私たちの何が分かるんですか！」

「いや、その通りなんですけど……」

「あなた、結婚されてます？」

かなこがそう言いながら、名刺を引ったくる。

「私ですか？　あ、はい」

「奥さんとうまくいってます？」

「え？」

「私に質問したんだから、あなたも答えて下さい」

「あ、はい……。えっと……」

一瞬、深夜に帰宅したときの妻の声が蘇《よみがえ》った。愛しているから一緒にいるわけじゃない。最近、妻と顔を合わせるたびに、そんな言葉が脳裏に浮かぶ。

「……あなただって、答えられないでしょ。そんなに簡単に答えられるようなことじゃないでしょ」

かなこはそう言うと、渡辺を置いて歩き出した。すぐにあとを追おうとしたが、なぜか足が動かなかった。

遠ざかるかなこの背中を見送っていると、名刺を受け取るときに差し出された驚くほど白いかなこの手首が蘇った。鉄橋を渡り切り、かなこの横顔が樹々に隠れる。

ふと、渡辺は彼女が知っているのではないかと思った。尾崎が過去に犯したことを、彼女は知っていながら一緒にいたのではないか、と。

〇

どれくらい時間が経過したのか、俊介はセロテープの跡が残る灰色の壁を、ひとりじっと見つめていた。

取り調べは三時間に及んだ。先日から何度も顔を合わせている徳川という中年刑事によるものだったが、どんなに意識を集中しようとしても、かなこが自分と立花里美のことを証言したという事実が頭から離れず、一向に刑事の声が耳に入ってこなかった。

何も答えなければ、益々《ますます》、自分の立場が悪くなるのは分かっているのだが、何をどう説明すればいいのか分からなかった。

黙秘を続ける俊介に呆れて、徳川が席を外してから、三十分くらい経《た》つだろうか、それとももっと長い時間が流れただろうか。せっかく一人になったのだから、頭の中を整理しようとするが、浮かんでくるのは、なぜか若いころの記憶ばかりで、セロテープの跡が残った壁が、まるでスクリーンのように様々な情景を映し出す。

チームメイトとグラブを買いに行ったスポーツ用品店。朝練のあと、買い食いしたコロッケパン。甲子園へ向かうバスの中。特待生として面接を受けた大学理事長の部屋。大学のグラウンド。春のグラウンド。夏のグラウンド。秋のグラウンド。そして真冬のグラウンド……。ただ、浮かんでくるのは練習風景や日常の瑣末《さまつ》な場面ばかりで、なぜか試合の光景は、何一つ浮かんでこない。

そう、あれはとても蒸し暑い夜だった。空は晴れ渡っているのに、どしゃぶりの雨の中に立っているような夜だった。

夕方六時半の新宿ぺぺ前。一緒にいたのは、後輩の藤本と赤坂で、須田保の到着を待っていた。

唯一《ゆいいつ》、完全オフ日の月曜日、俊介たち野球部員は、毎週と言っていいほど、この広場にやってきた。「月曜日・新宿ぺぺ前・午後六時半」と言えば、「合コンの待ち合わせ」と同義語で、俊介たちが通う和東大に限らず、他校でも運動部は月曜休みが多く、毎週、広場にはあちこちに一目でそれと分かる男たちがたむろしていた。

「尾崎さん、聞きました？　先週の安井さんの話」

暑さに耐えかねてしゃがみ込んでいた藤本が、地面に寝そべるように振り返る。

「安井の話？」

俊介が暑さにうんざりしながらも尋ね返すと、「先週カラオケのあと、川口の実家まで、あの女の子連れて、歩いて帰ったらしいっすよ」と藤本が笑う。

「……マジかよ」

「マジですよ。終電はないし、ホテルに入る金はないしで、四時間もかけて歩いたらしいっすよ。途中、女の子が疲れたとか言い出したんですけど、安井さん、彼女を背負ったって言ってましたからね。そりゃ、もうヤリたい一心で」

藤本の話に、横で赤坂も笑い出す。スチームサウナのような駅前広場では、笑えば笑うほど汗が噴き出し、噴き出した汗は、これから始まる長い夜の間、乾かない。ショートパンツから出た藤本と赤坂の脚は生白く、太い骨が突き出した膝《ひざ》や脛《すね》には、かさぶたになった傷がいくつも残っている。

「その辺の公園で済ませないで、実家まで背負っていった安井は誠実だよ」

「いや、ほんと、安井さんにしては上出来ですよ。安井さん、ドラマのCMの間に、『あ、ちょっとごめん』って、便所でせんずりこいてくるような人ですからね」

藤本の言葉にまた赤坂が笑い出す。だるまのように地面を転げる赤坂の様子を、少し離れた場所から、やはり合コンの待ち合わせなのか、女の子のグループがクスクス笑いながら眺めている。その様子を見ているだけで、柑橘系《かんきつけい》の香りが漂ってくる。

「今日の仕切りって誰？」

俊介は女の子のグループに目を向けたまま、膝のかさぶたを毟《むし》っている藤本に尋ねた。

「須田さんですよ」

「どんな女の子たちだっけ？」

「ほら、あれっすよ。一ヶ月くらい前、すげえ高いレストラン設定してきたどっかのお嬢様学校の女たちいたじゃないっすか。あんときはなんか盛り上がらなかったけど、あのあと、向こうの幹事から電話があって、別のメンバー揃《そろ》えるから、もう一回やろうって須田さんとこに連絡入ったみたいっすよ。たぶん、あの幹事が須田さんのこと好きなんすよ」

こちらをちらちらと見ている女の子たちを眺めていたせいか、ひと月前、気取ったレストランに現れた女たちのやけに甘ったるい香水の匂いが思い出された。メニューに書かれた料理を全《すべ》てウェイターに説明させるような女たちだった。こっちにはテリーヌの意味さえ分からぬ者も多く、赤坂などは日頃の練習の疲れが出たのか、ウェイターの説明の最中、寝息を立てそうになったほどだ。

「なぁ、それやめてさ、あっちにしねぇか」

俊介が顎《あご》をしゃくった先には、さっきの女の子たちのグループがいる。地べたに座っていた藤本と赤坂もすぐに首を伸ばして視線を向ける。目の前をいくつもの紙袋を提げたホームレスが横切り、途端に鼻を刺すような臭《にお》いが漂う。

「あれ、女子高生じゃないっすか?」

藤本の言葉に、「でも、俺もあっちのほうがいいです」と赤坂が口を挟む。

俊介は爪先《つまさき》で赤坂の背中を蹴《け》った。「え? 俺っすか?」と、言いながらもすぐに立ち上がった赤坂が、どの子が一番ノリがよさそうか、植え込みの向こうを値踏みする。

女の子たちは四人。待ち合わせている男たちはまだ到着していないらしい。夏休みに入って海にでも行ったのか、どの娘も日に灼《や》けた肌が街灯に輝いている。

駆け寄った赤坂に女の子たちは驚き、一斉にこちらへ顔を向けた。俊介と藤本が手を振ってみせると、中の何人かがクスッと笑う。ちょうどそのとき、遅れていた須田がやってきて、「誰、あの子たち?」と首を傾《かし》げた。

「いいから、ほら、手振れって」

俊介がそう言うと、須田は訳も分からず手を振った。

事情を説明すると、須田が渋った。

「みんなで食中毒になったとでも言って、断わってくれよ」と俊介は言った。

赤坂が戻ってきたのはそのときだった。素直な男なので、その表情を見ただけで結果が分かる。

「なんか、ダンサーやってる男たちと約束してるらしいですけど、遅れてるって」

赤坂の言葉に、「俺たちのほうが、うまく踊れるって言ったか?」と冗談半分に尋ねたのは須田だった。誰が見ても、約束したお嬢様たちよりも、植え込みの向こうで笑っている女の子たちのほうが魅力的だった。

当時、練習が辛《つら》ければ辛いほど、休みの日には新宿で羽目を外した。一年の頃、先輩たちに手押し車サバイバルを命じられ、鼻水、涎《よだれ》、涙を垂れ流し、意識は朦朧《もうろう》、生き物の本能だけで、腕を一歩前へ出し続けた翌日も、意地になって新宿ぺぺ前の合コンには参加した。

弱った身体《からだ》に安酒は効き、一週間の過酷な練習後の高揚感と、溜《た》まりに溜まった性欲で、この歌舞伎町の街角に立つ自分たちの身体は、比喩《ひゆ》ではなく、まさに爆弾のようだった。


廊下を足音が近づいてきた。俊介はじっと見つめていた取調室の壁から、開かれるだろう扉に視線を向けた。

過去の記憶に浸っているときには感じなかったが、現実の世界に視点が合った途端、この狭い部屋に自分がかなり長い時間置き去りにされていたことに気づく。おそらく一、二時間どころではない。窓もない室内では外の様子も分からないが、確実に強まる空腹感が、如実《にょじつ》に時間の経過を伝えてくれる。

乱暴に開かれたドアから現れたのは、予想に反して徳川刑事ではなく、彼にいつも同行している若い刑事で、俊介が初めて警察署へ連れて来られたときの別れ際《ぎわ》に、「……あんたみたいな男、虫酸《むしず》が走るんだよ。……寄ってたかって女を犯したんだろ?」と言い捨てた男だった。

若い刑事は机に弁当を投げて寄越した。折り詰めに入った焼売《シュウマイ》弁当で、見るからに冷えきっている。

「喉《のど》は？」と訊《き》くので、「水、もらえますか？」と俊介は答えた。刑事が壁際のテーブルに置かれた小さなポットを、弁当の横にドンと置く。

刑事が出て行くものとばかり思っていた俊介が、弁当を開けるのを待っていると、「食えよ」と急《せ》き立てる。

伝わってくる嫌悪感《けんおかん》に、俊介はしばらく手を動かせなかった。刑事は乱暴にパイプ椅子《いす》を引いてきて、目の前に座った。やっと弁当の蓋《ふた》をとった俊介を、正面からじっと睨《にら》みつける。

俊介はその前で弁当を食べた。冷えたごはんも、くっつき合った焼売も、何を口に入れても味がしなかった。それでも空腹で痙攣《けいれん》しそうだった胃は少しずつ落ち着いてくる。

「ここであんたを取り調べてるって言った途端、あの女、立花里美まで何もしゃべらなくなったよ。あんたのことを怖がってるみたいだってよ。……あんた、あの女に何したんだよ？」

刑事の言葉に、俊介は箸《はし》の動きを止めた。

「あの女は、何て言ってるんですか？」

「だから、何も喋《しゃべ》ってくれなくなったんだよ」

刑事の唾《つば》が、弁当の中に入る。俊介は箸を置いた。

「あんたの奥さんにもバレてたんだろ？　あの女とはどんな関係で、あの女に『息子が邪魔だ』って言ったのかどうか、さっさと吐けよ」

「かなこは……、かなこは何を話したんですか？」

「だから、あんたとあの女の関係には気づいてたって。あの女の家にも忍び込んでたんだろ？　あんたの奥さん、いつも泣いてたってよ」

「かなこが、かなこがそう言ったんですか？」

「そうだよ。あんたがあの女に適当なこと言って喜ばせたんだろ？　一緒になろうとか、一緒に逃げようとか、適当なこと言ってあの女喜ばせて……。そのくせ、いざとなったら逃げ腰で、『二人ならどうにでもなるけど、子供がいると身動きとれない』だとか、『もう少し時機を待とう』だとか言って……。あの女の気持ち弄《もてあそ》んで、焦《じ》らして。結果、思い詰めて、息子殺しちゃったじゃねぇか。みんな、あんたのせいだよ。あんたが手を下してなくても、あの子を殺したのはあんただよ」

「彼女が、立花さんがそう言ってるんですか？」

「そうだよ。それに、あんたの奥さんも、あんたはそういう男かもしれないってよ。

もう愛想つかされてんだよ」

刑事はそこで机を叩《たた》いた。

俊介は弁当の蓋を閉め、「ごちそうさまでした」と刑事に突き返した。掴《つか》んだ弁当を刑事が足元のゴミ箱に叩き捨てる。と同時に立ち上がった刑事が、ゴミ箱を蹴り、冷えたごはんや総菜が床に散らばった。

「ここで黙ってても、あんた、どうにもなんねぇよ」

そう言い捨てて部屋を出て行こうとした刑事が、ふと思い出したように振り返り、

「そう言えば、あんたの奥さん、何者なんだよ?」と眉《まゆ》を寄せた。

「……籍も入ってねぇ、住民票も移されてねぇってことは、どっかから逃げてきてんだろ? どっかに旦那《だんな》とか、子供とかいるのか? どうせまた、あんたがうまいこと言って、騙《だま》して連れてきたんだろ。そんでうまくいかなくなったら、今度は隣に越してきた女かよ。……ったくさ、あんたの人生って何なんだよ。もうちょっと真剣に生きられねぇのかよ」

俊介は顔を上げなかった。乱暴にドアが閉まり、足音が廊下を遠ざかっていく。刑事の言葉が、いつまでも耳に残る。

あんたの人生って何なんだよ。

もうちょっと真剣に生きられねぇのかよ。

あの夜、歌舞伎町の居酒屋からカラオケに流れた飲み会は、終電近くまで続いた。どちらの店でも、もう誰が誰に話しているのか分からないような盛り上がりの中、俊介は水谷夏美という女の子にばかり気を取られていた。惚《ほ》れたというよりも、この後どこで、この女を抱けるだろうかと、そればかりを考えていた。

酒を飲み、バカ笑いを繰り返し、過去の恋愛話などを話し出せば、さすがに彼女たちがいくら大人ぶってみせても、まだ女子高生なのだと分かった。

ただ、夏美だけはどこか大人びて見えた。何も斜に構えているわけではない。赤坂や藤本がふざけて互いの乳首をつまみ合ったりしていると、手元の唐揚げを投げつけたりするくせに、少し酔い始めた友達がいれば、さっと席を立ってトイレに同行もする。

「夏美ちゃんってさ、彼氏いないの?」

うるさいカラオケボックスで、そう尋ねた自分の声が未《いま》だにはっきりと思い出せる。

夏美は、「いたけど、別れた」と素っ気なかった。

「どんな奴《やつ》?」と俊介は訊いた。

少し身体を離した夏美が、「体育会系じゃないよ」と言うので、「体育会に偏見持ってる？」と俊介は笑った。

「だって」

夏美が顎をしゃくった先では、逆立ちした赤坂に別の女の子が春雨を食べさせていた。

カラオケボックスを出ると、夏美たちは帰ると言い出した。俊介は慌《あわ》てて、「あのさ、うちの学校のグラウンドに忍び込もうよ」と誘った。

カラオケボックスで、唯一《ゆいいつ》、夏美が声を弾ませた話題だった。夜のグラウンドは、どこか神秘的な雰囲気がある。怖くて、一人では入れないが、いつか忍び込んで、思い切り走ってみたい。夏美はそう言ったのだ。

俊介の誘いに、当初、夏美は渋ったが、たしか恭子という名の女の子が乗ってくれた。女の子たちの中でも一番賑《にぎ》やかな子で、おそらく俊介に気があった。俊介もその色目に気づいてはいたが、酔った目にはもう夏美の身体しか見えていなかった。結局、他の二人とはその場で別れ、俊介たちは夏美と恭子を囲むようにして駅へ向かった。

歌舞伎町の雑踏にいたせいか、それとも満員電車に揺られたせいか、和東大学グラウンドの鉄門の前に立つと、その静寂が新鮮だった。

校旗や国旗が下ろされたポールには太いロープだけが残り、熱帯夜の風に撓《しな》って、ビュン、ビュンと音を立てている。他に聞こえてくる音はなかった。見つからないように、誰もが小声で囁《ささや》く。

「え？　この門を越えるの？」

スカートを穿《は》いていた恭子が高い鉄門を見上げていた。

「大丈夫だよ。……ほら、赤坂、お前、踏み台になれ。あとは俺らが押すから」

俊介の合図と共に、赤坂がさっと門の前で四つん這《ば》いになり、まずその背中を踏んで須田が門を越える。頑丈そうな鉄門も、身体の大きな須田がしがみつくと、音を立てて大きく揺れ、夜のグラウンドに、グアン、グアンと低い音が響く。

俊介と藤本で、まず恭子を支えた。恭子が恐る恐る赤坂の背中に乗る。須田のスニーカーとは違い、サンダルのヒールが赤坂の背骨をゴリゴリと鳴らす。

「ごめん、痛いでしょ？　ごめん……」

申し訳なさそうな恭子の声に、「謝るヒマあったら、早く上ってよ」と、赤坂が顔をしかめていた。

両側から腕を支えられた恭子の白い腋《わき》の下が丸見えだった。パンツが見えることを気にしながらも、恭子が錠前に足をかける。突き出された尻《しり》を、俊介と藤本で押すと、小柄な恭子の身体がすっと浮く。

恭子に続いて、夏美が門を越えた。恭子よりも運動神経が良かった。踏み台の赤坂もほとんど顔を歪《ゆが》めなかった。

二人を追って、俊介たちも門を越えた。門を越えると、なぜか急に乾いた土の匂《にお》いがした。

◯

渡辺が桂川の団地に到着したのは、日盛りの正午過ぎだった。

立花里美の逮捕後、日差ししか残っていないほど閑散としていた砂利敷の広場にも、「尾崎俊介の殺人教唆《きょうさ》説」を受けて、またマスコミ各社が集まっている。

やっと駐車できたバンの後部座席から渡辺が降りると、顔見知りの記者が寄ってきて、「駄目だよ。尾崎の女房、一歩も家から出てこないよ」と、うんざりしたように視線を尾崎宅へ向ける。

広場の向こうに人だかりができているので、「あれは?」と渡辺は訊いた。

「ああ、組合会長の奥さんを囲んでんだろ。あのババアが尾崎の奥さんに食べ物差し入れたりしてんだよ」

「尾崎は、警察でなんかしゃべったんですか？」

「いや。尾崎が捕まってから、立花里美のほうもだんまりらしい」

「じゃあ、まだ二人がデキてたってことは……」

「いや、それはもう確実でしょ。なんせ、自分の女房にチクられちゃってんだから」

記者の額で汗が流れる。見れば、シャツの背中はぐっしょりで、むっとする熱気と共に汗の臭《にお》いが鼻をつく。

「おたくも、もう知ってんだろ？」

記者に顔を覗《のぞ》き込まれ、渡辺は、「え、ええ」と曖昧《あいまい》に頷《うなず》いた。

「これで、尾崎の奴があの女との関係を吐いてくれれば、久しぶりに紙面でもデカい扱いできるんだけどね。『息子を殺した女の情夫は、元レイプ犯』なんて、自分で書いてて出来過ぎだろうと思うけど、でも、今の世の中、これぐらいのインパクトないと、誰も面白がってくれないからね」

広場の向こうで、人垣がばらけた。組合会長の奥さんが、花柄の日傘を差して自宅へ戻っていく。

「なんか、聞けたんですかね？」と渡辺は訊いた。

「さぁ、あのバアさん、出たがりの割に、口堅いんだよな。ただ、まぁ、夫に裏切られた女房のこと、見て見ぬふりもできないんだろ。組合会長さんの女房としては」

車に戻ろうとした記者に、「どの辺まで調べ上げてんですか、尾崎の例の件」と、渡辺は声をかけた。

「駄目だよ、そっちも。どこかが尾崎に探り入れてたらしくて、大学の関係者は一切ノーコメント。過去の記事や裁判記録を集めるのがやっとだね。おたくは？」

その探りを入れた当人が自分なのだが、渡辺は記者の問いかけに苦笑して返しただけだった。

テレビや雑誌では、尾崎と立花里美の関係を匂わすような報道や記事が出始めていた。ただ、任意での事情聴取という段階では、尾崎の名前はもちろん、二人の関係を断定して伝えるわけにもいかない。

車に戻りかけていた記者が、ふと足を止めたのはそのときだ。

「そうそう。おたくで、尾崎の女房の情報なんて持ってないよね？」

最初から諦《あきら》め切ったように、記者が訊いてくる。渡辺は無言で首を横に振った。予想通りの反応に、記者は表情も変えずに車へ戻る。

警察から漏れ伝わってきた情報として、尾崎がかなことは籍も入れておらず、かなこ自身の住民票も存在しないことが分かっていた。大方の予想では、かなこにはどこかに旦那や子供がいるのではないかと言われている。家族を捨てて、尾崎とこの辺鄙《へんぴ》な団地まで逃げて来たわけだ。

警察のほうでも、何度となく、彼女に問いただしているらしいが、尾崎と立花里美との関係については話すくせに、自分のこととなると、一切口を開かなくなるという。

渡辺は夏日に悲鳴を上げそうな尾崎宅へ目を向けた。中にかなこが一人でいるのかと思うと、先日、渓谷の赤い鉄橋で見た彼女の白い手首が浮かんでくる。

渡辺は冷房の効いた車に戻ると、今朝、届いた興信所からの報告書を取り出した。

知り合いの興信所に頼んでいたのは、尾崎と共に事件を起こした和東大学野球部員たちのその後の足跡だった。

知り合いということで格安料金ではあったが、自腹で依頼してまでこの事件のその後を知りたがっている自分に、報告書を受け取った瞬間、渡辺は嫌な身震いが出た。

渡辺は後部座席に座ると、今朝受け取ってすぐに読んだ報告書のページを、改めて捲《めく》り始めた。


赤坂良和《よしかず》(当時和東大学野球部一年・尾崎俊介の後輩)

平成十三年七月十日、薬物中毒による心臓麻痺《まひ》で死亡。享年《きょうねん》二十九。

事件後、和東大学を中退。赤坂は一度、地元大阪へ戻っている。ミナミの寿司屋《すしや》に住込みで就職するが、半年で逃げ出す。その後、チェーンの居酒屋やカラオケ屋などでバイト。一年後、二十二歳のときに再び東京に戻る。

報告書によれば、運送会社への就職のための上京だが、数ヶ月後には京葉道路で勤務中に衝突事故を起こし、半年ほどの入院生活を送ったらしい。その後、この運送会社も退職する。

退職後は、決まった住所もなく、安定した職についた形跡もない。錦糸町《きんしちょう》と上野のサウナで、傷害と薬物所持で二度現行犯逮捕。

傷害事件のほうは些細《ささい》な内容で、当夜、仮眠室で鼾《いびき》がうるさいと他の客に注意され、赤坂が逆上したものらしい。この数時間前、赤坂は休憩室のテレビでヤクルト戦を観戦していた。その際、大阪出身なら阪神を応援しろと、しつこく話しかけてきたのが、事件の被害者だったという。執行猶予《ゆうよ》がついているが、その後、生活が改まった形跡はない。

幼いころの赤坂は、大阪で二間のアパートに両親と三人の弟妹で暮らす経済的には厳しい環境で育っている。六人部屋の野球部寮に入ってきたとき、三段式ながら自分のベッドが持てたことを喜び、狭い空間を飾り立て、誰よりも几帳面に整理していたと、当時の裁判記録に残っている。

背が低く、打撃にも守備にもさして目立つところはなかったが、チーム一の俊足だったらしい。昔からヤクルトのファンで、逆に阪神戦を見ると、大阪の狭い自宅や怒声を上げる父親を思い出し、気分が悪くなっていたという。

赤坂は学生時代、監督やコーチなど父親世代の男の前に立つと極端に萎縮《いしゅく》してしまうところがあった。叱《しか》られているわけでもないのに、脂汗《あぶらあせ》がだらだらと流れて止まらなかったらしい。

皮肉にも、そんな赤坂が死んだのは、サウナで知り合った自分の父親と同年代の男の安アパートだったそうだ。不運なことに、この男もまた薬物中毒だったらしく、赤坂が倒れたとき、自分まで逮捕されるのを恐れて逃亡したため、彼の腐乱し始めた遺体が大家に発見されたのは、死後三週間も経《た》ったころだったという。

報告書を読んだ限りでは、赤坂の人生には全く女の影がない。結婚はもちろん同棲《どうせい》していた時期もない。日銭を稼ぎ、その金でクスリを買い、サウナで夜を明かしながら、赤坂は死んでいったのだ。

報告書をバッグの上に投げ出すと、渡辺はシートに凭《もた》れて背伸びをした。ルームミラーに自分の顔が映る。一瞬、映った顔が、三週間も発見されなかったという男の死に顔に見える。

尾崎を含め、事件を起こした四人の男たちに、不幸な人生を歩んでいてほしいと願う気持ちは強い。ただ、別のどこかで、斬《き》りつけられるような痛みも感じる。

かなこが現れない広場では、すっかり緊張感もなくなり、ゴミ捨て場のホースで撒《ま》かれる水に歓声を上げている記者たちもいる。渡辺は再び報告書を手に取った。

藤本尚人《なおと》（当時和東大学野球部一年・尾崎俊介の後輩）

現在、藤本建設取締役。妻子あり。渋谷区松濤《しょうとう》のマンションに居住

藤本建設は創業百年になる大手建設会社である。資本金二百四十七億円。従業員数三千七百八十五名。東京の街中を歩いていれば、建築中のビルやマンションのシートに「藤本建設」のロゴが入ったものが簡単に目につく。

藤本尚人は創業一族の三男で、小学校の頃から野球を始めた。生来のセンスがあっ

たのか、リトルリーグの地区代表選手となり、中学、高校も、一族の反対を押し切り、名門野球部のある私立校へと進学している。

三男ということもあり、自由に育てられたせいか、中学、高校のチームメイトたちの間でも、御曹司《おんぞうし》として浮いた存在になることもなく、高校二年の頃には、二回戦で大敗したとはいえ、レギュラーとして甲子園出場も果たしている。

本人には子供の頃からプロとして野球を続けたいという夢があったらしいが、和東大学に特待生としては入学できず、一般受験を経て、野球部に所属した。

事件当時、未成年者ということもあり、大々的に藤本建設の名前が世に出ることはなかったが、ちらほらとそれを匂わすような報道もあり、その都度、過敏に反応した一族が、各出版社などを相手取り訴訟を起こしている。

藤本尚人自身は、事件後、神明大学に転入して卒業。同年、アメリカのシカゴ大学大学院へ留学し、帰国後、藤本建設に就職する。

営業畑から香港《ホンコン》、上海と支局長を務め、ドバイ支局での勤務を経て本社へ戻った三十三歳の時に取締役昇進。現在に至る。

妻の美奈子とは香港時代に見合い結婚。一人娘の玲奈《れいな》は、現在神明小学校在学中。

報告書を読み終えると、渡辺は改めて広場の向こうにある尾崎宅へ目を向けた。シカゴ大学、香港、上海、ドバイという文字が並ぶ藤本尚人の報告書とは、まるで違う世界でも見るような感じがする。

編集部で初めてこの報告書を読んだとき、渡辺は自分の目を疑った。尾崎俊介にしろ、須田保にしろ、十数年前のあの夜、例の集会室にいた男たちの成れの果てを、自分勝手に想像していたのだと思う。

しかし、あの場所にいて、水谷夏美の悲鳴を聞いた男の中に、藤本尚人のような男も混じっていたのだ。同じ場所にいたからと言って、全《すべ》てが同じ方向に進むわけではないことは、渡辺にも分かっている。しかし、陰惨な事件と、この藤本尚人のその後の経歴には、一人の少女というよりも、それに関わった全ての人間を、どこかでせせら笑っているような印象がある。

渡辺が報告書を後部座席に投げ置いたところで、ドライバーの青年がやってきた。

しばらく待機すると指示したので、スーパーまで買い出しに行ったらしい。須田保と同じドライバー派遣会社の所属だが、来る途中の雑談では、須田本人とは面識がないという。

汗をびっしょりかいて運転席に乗り込んできたドライバーが、スーパーの袋から冷えた烏龍茶《ウーロンちゃ》のボトルを差し出してくる。

「飲みますか？」

「歩いて行ったの？」

渡辺は遠慮なく烏龍茶を受け取った。

「近いと思ってたんですけど、けっこうありましたね」

ポロシャツの襟を引っ張り、ドライバーが冷房の送風口に顔を近づける。

「あれっ、なんかあったみたいですよ」

ドライバーに声をかけられ、渡辺は視線を広場に戻した。緊張感をなくしていた記者たちが、いつの間にか尾崎宅前に集まっていた。

渡辺は飲みかけの烏龍茶を持ったまま車を降りた。さっき話しかけてきた顔見知りの記者を見つけ、「なんかあったんですか？」と声をかけると、「尾崎が吐いたらしいよ」と興奮して教えてくれる。

「吐いたって？」と渡辺は訊《き》いた。

「だから、立花里美との関係」

「え？　やっぱり本当だったんですか」

「らしいね。まだ詳しくは伝わってないけど」

「息子殺しとの関係は？」

「その辺は、まだ。……ただ、『一緒になるにしても、息子が邪魔だ』みたいなことを言い続けてたのは本当らしい」

「それで、あの女が？」

「だろうね。思い詰めちゃったんじゃないの？」

記者が携帯をいじりながら、自分の車へ駆け寄っていく。尾崎宅の前では、一段と声を張り上げた取材陣が、遠慮なく敷地に入り込み、玄関ドアを叩《たた》いている。

○

石を削って作られた洗面台に立ち、作業員が空調の掃除をしている。

洗面台にのせられた作業員の靴下は汚く、バランスを取ろうと力んだ足の親指が、縁にしがみついている。天井に取り付けられた空調のファンを磨くため、若い作業員が腕を伸ばす。細い腹が見える。

俊介は鉄格子《てつごうし》越しに、凹《へこ》んだ作業員の腹を見ていた。こんな場所に慣れているのか、それとも看守からの指示があるのか、作業員は一度も俊介のほうを見ない。

むき出しの便器を眺めながら、俊介は十数年前に入れられたことのある留置場の様子を思い出そうとした。だが、留置場の内部はおろか、逮捕から裁判までの目まぐるしく流れた出来事が、一切記憶に残っていない。

意識的に忘れようとした時期もある。忘れようとすればするほど鮮明に思い出された夜もある。ただ、十数年経った今、あの当時の光景を思い出すのは、まるで他人の記憶を探るように難しい。

取調室での尋問は続いていた。かなこの証言に変化はない、と刑事は言う。かなこが証言を取り下げることはなさそうだった。

俊介は今朝になって、「立花里美さんや、内妻のかなこが証言した通りです」と刑事に告げた。

その後の若い刑事からの矢継ぎ早の質問には、すべて無言で頷《うなず》いた。

春ごろ、隣に越してきた立花里美とは、朝晩の挨拶《あいさつ》を交わしているうちに立ち話をするようになった。息子の萌と広場で遊んでやることもあった。萌に連れられ、初めて立花里美宅を訪問した。

知り合ってひと月ほど経ったころから、里美宅で関係を持つようになった。きっとそうなのだろう。いや、きっとそうなのだ。

気がつくと、作業員がフィルターの交換を終え、洗面台から下りていた。途中、隣の房に入れられている男が、「埃《ほこり》が散るだろ!」と抗議したが、すぐに看守が駆け寄って注意した。ただ、俊介にはその声が遠かった。

作業員が出て行くと、隣の房から聞こえる荒い鼻息だけになる。俊介は房の隅にあぐらをかいたまま目を閉じた。窓もないのに、遠くを走っていく車の音が微《かす》かに聞こえる。

「水谷夏美さん。彼女、あんまりいい人生じゃなかったみたいですよ」

ふと、渡辺と名乗った記者の言葉が蘇《よみがえ》る。

あんまりいい人生じゃなかったみたいですよ。

俊介は無意識にそう呟《つぶや》いていた。

それは、俊介が休暇をとって運転免許の更新に行った帰りだった。事件を起こし、野球部は除籍、大学を退学になり、長い裁判を終え、すでに三年が過ぎていた。先輩のコネで入社できた証券会社での仕事にも慣れ、たまの休日には通信制大学の課題を必死でこなす日々を送っていた。事件直後には、あの場の光景を思い出し、思わず声を上げてしまうような夜を過ごしてもいたが、日々の忙しさのせいか、このころには後悔や反省よりも、もしも野球を続けられていたらと夢想することが多くなった。

未《いま》だに不思議なのだが、事件当時、誰かに面と向かって事件について非難された記憶が全くない。巻き添えを食って、一年間の公式試合出場停止という重い罰を受けた野球部の仲間たちの落胆は、想像するだけで死にたい気持ちにさせられたが、その彼らからでさえ、面と向かって罵声《ばせい》を浴びせられたことがない。

事件当時、在籍していた部員たちも、すでにそれぞれがそれぞれの伝《つて》を頼って一流会社に就職していた。三年という月日が、確実に事件を風化させていた。

その日、混雑を予想して早めに免許の更新に行ったのが良かったのか、昼前には講習も終え、ぽっかりと午後の時間が空いた。そのまま帰宅して日頃の寝不足を解消しても良かったが、天気のよい日で、つい乗り換え駅の池袋の街へ出た。

何をするというわけでもなかったが、休日の混んだ通りを歩いていると、ちょうど五分後に始まる映画があった。『ピアノ・レッスン』という作品で、つい一週間ほど前、通信制大学の月一度のスクーリングで隣の席だった女性が絶賛していたのを思い出した。

普段、映画など見るほうではなかった。テレビでやっていてもアクション物以外、三十分でチャンネルを変えてしまうほどだったのだが、なぜかこの日は、タイトルからして退屈そうなこの映画を見る気になった。

チケットを買って、すでに暗い場内に入ると、まばらな客の頭を青白いスクリーンの光が照らしていた。

最後列に座り、売店で慌《あわ》てて買ったポップコーンを食べた。始まった映画は、気が滅入《めい》るほど暗いシーンの連続だった。正直、十五分も経《た》つと、睡魔との戦いとなった。ときどき激しいピアノ曲が流れたときにだけ目が覚める。あとは字幕を読むのも億劫《おっくう》で、おそらくドラマティックなのだろう物語に入り込むことはできなかった。

どれくらい時間が経ったのか、激しい音楽に目を覚ますと、大きなスクリーンに海が広がり、船上からグランドピアノが投げ込まれるシーンだった。

深く水中へと沈みゆくグランドピアノ。その脚にロープが繋《つな》がれている。甲板でとぐろ巻きにされたロープが、音を立てて減っていく。次の瞬間、ロープの端が主人公の女の足首に絡《から》まっているのが分かる。

寝起きだったせいもあった。思わず声を上げそうだった。まだ映っていないのに、グランドピアノに引き摺《ず》られ、海中深く沈んでいく女の様子が目に浮かんだ。

気がつくと、腹にポップコーンがこぼれるのもかまわず身体《からだ》を起こしていた。数列前の席で、すっと女の客が立ち上がったのはそのときだ。

横にいた別の女が見上げるが、彼女は振り向きもせずに通路へ出た。スクリーンではまさに主人公が海に引き摺り込まれた瞬間だった。通路を歩いてきた女の姿がスクリーンを隠した。女の顔は暗くて見えない。早く出て行けと思った瞬間、通路の非常灯に女の顔が照らされた。

俊介は思わず首を縮めた。

女が足早に通り過ぎていく。背後で扉が開き、ロビーの明かりが差し込む。俊介は首を縮めたまま振り返った。

間違いなかった。扉から出て行ったのは、水谷夏美だったのだ。

扉が閉まり、ロビーからの明かりが途絶えると、とつぜん動悸《どうき》が激しくなった。彼女を見るのは事件以来だった。スクリーンにクライマックスのシーンが映されているにも拘《かかわ》らず、そこに見えるのはあの夜の光景だった。

大写しにされた集会室の片隅で、自分たちが一人の女を押さえつけている。音はない。ただフィルムの回るカタカタという音だけが耳をつく。誰かが叫ぶ。叫んだのが自分だと分かる。苛々《いらいら》している。苛々しているのが自分だと分かる。

事件後、何度も詰問《きつもん》された。なんであんなことをしたのか、と。事件後、何度も考えた。なんであんなことをしたのか、と。

考えれば考えるほど、言い訳めいた言葉しか浮かばない。それが真実ではないことは、自分でも分かっている。

嫌がっているようには見えなかった。

いつも最後に残るのは、この言葉だけだった。

気がつくと、座席から立ち上がっていた。彼女を追うつもりだったのか、その場から逃げ出すつもりだったのか、今では分からない。震える手で重い扉を押した。ロビーの明るい照明の中、ベンチに彼女の姿があった。こちらを振り向いたその顔に、笑みが浮かんだ。心配した友達が自分を探しにきたとでも思ったのかもしれない。出てきたのが男だと分かって、彼女は視線を足元に落とした。一瞬のことだった。

俊介は逃げるように男子便所へ駆け込んだ。

鏡に映った顔に汗が噴き出していた。たった今見たスクリーンの映像が蘇る。暗い海に沈んでゆくグランドピアノ。その脚に繋がれたロープ。グランドピアノの重み。無表情で海へ引き込まれていく女優の顔。

映画が終わり、ロビーが賑《にぎ》やかになる。俊介は恐る恐る便所を出た。さっき座っていたベンチに彼女の姿はなかった。エレベーターホールへ視線を移すと、閉まりかけたドアの向こうに、友達と微笑《ほほえ》み合う彼女の姿があった。

次の瞬間、自分がなぜ彼女を追ったのか、未だに俊介には分からない。

エレベーターのドアが閉まった瞬間、ほとんど無意識に横にあった非常階段を駆け下りていた。一階に着くと降りてくるエレベーターを、柱の陰に隠れて待った。扉が開き、二十人ほどの観客たちが降りてくる。一瞬、自分が何をしているのか分からなくなり、額を柱に押しつけた。観客たちが日の当たる表通りへ出て行く。柱から額を離すと、駅の方へ向かう彼女の後ろ姿があった。日を浴びた彼女の頰が、オレンジ色に染まっていた。咄嗟《とっさ》に柱の陰から飛び出した。声をかける勇気などないくせに、勝手に足が動いていた。

彼女はときどき友達と言葉を交わしながら、駅のほうへと歩いていく。雑踏の中、いつ見失ってもおかしくないのだが、彼女の後ろ姿だけがなぜか鮮明に見えた。何やら笑い合いながら、彼女が友人の肩を叩く。叩かれた友人が大袈裟《おおげさ》によろけてみせる。距離を保ちながら繁華街を進んだ。

池袋駅西口に着くと、短い立ち話のあと、彼女はそこで友達と別れた。そのとき、ずっとこちらに背を向けていた彼女がとつぜん振り返った。背後から歩いてきた通行人の肩が、彼女にぶつかる。一瞬のことだったのに、俊介にはスローモーションのように見えた。

肩をぶつけられ、よろめいた彼女が真っすぐに自分を見ていた。彼女の目の色が変わった。

俊介は慌てて逃げ出そうとした。だが、歩き出したほうに学生のグループがおり、無様に立ち往生してしまう。中の一人にぶつかったとき、改札への階段を駆け下りる彼女の背中が見えた。俊介は学生たちの間をすり抜けた。気がつけば、彼女を追っていた。

「ちょっと、待って。待って。待って下さい！」

思わず声が出た。手すりを掴《つか》みながら、彼女が懸命に階段を下りていく。ひっきりなしに上ってくる人々が邪魔をして、なかなか彼女に追いつけない。追いついて、自分が何をしたいのかも分からないのに、「すいません、すいません」と声をかけながら駆け下りていた。

追いついたのは、券売機の前だった。

こちらの足音が聞こえたのか、財布を出そうとしていた彼女が振り返り、乱れた息のまま、「な、何よ！」と小さく唸《うな》る。ただ、その声も、すぐに構内の雑音に消されれてしまう。

「すいません……、あの、映画館で……、今、映画館で君を見かけて……」

声が震えた。彼女はじっとこちらを睨《にら》んでいる。強く財布を握りしめている。

「俺、君に、きちんと……」

そこまで言ったとき、「ついてこないでよ！」と、また彼女が小さく唸った。横で切符を買っている子供に気を遣うような声だった。

「すいません」と俊介は謝った。

「あ、謝るくらいなら尾《つ》けてこないで！」

彼女が券売機に向かう。小銭を取り出す手が震えている。なかなか硬貨が入らない。

「あの、俺……」

そう声をかけた瞬間、彼女がゆっくりと振り返った。自分自身を落ち着かせるように大きく息を吐く。

「何ですか？」

「いえ、あの……」

「私に謝りたいわけですか？」

彼女の険しい眼差《まなざ》しに、何も答えられず、俊介はただ頷いた。

「もう馬鹿《ばか》みたい！　許して欲しいんなら……、許して欲しいなら、死んでよ」

冷たい声だった。感情さえこもっていないような、とても冷たい声だった。

彼女は切符を買うと、その場から動けない俊介を置いて立ち去った。改札へ近づくにつれ、その歩調は速くなった。

このときの情景が蘇るたびに、俊介には必ず重なって思い出される光景がある。当時、勤めていた証券会社で、よく接待に使っていた店の様子だ。たしか「蓮《れん》」という店だったか、赤坂の芸者上がりのママが切り盛りするクラブだった。

常時、店には七、八人の女の子たちがいた。ベルベットのソファが並んだ店内は、いつも蘭《らん》の香りがした。

「一見、さわやかそうな青年に見えるだろ？　でも、この尾崎くん、こう見えて、今、執行猶予《ゆうよ》中の悪い奴《やつ》なんだよ」

得意先の男が水割りのグラスを膝《ひざ》の上で揺らしながら笑う。横に座ったママが、ズボンが濡《ぬ》れないようにと、ハンカチでグラスの底を拭《ふ》いてやる。男は大田区にある電子部品商社の二代目社長で、俊介が受け持つ上客の一人だった。

話に女の子たちがすぐに食いつく。

「え〜、ほんと？　何やったの？」

「まさか、人殺しとか」

「やだ〜、それって怖い〜」

女の子たちが盛り上がったのをいいことに、社長が赤ら顔を突き出し、「こいつ、学生んときに女の子を襲っちゃったんだよ」とわざとらしく眉《まゆ》を顰《しか》めてみせ、「な？ そうだよな？」と、嬉《うれ》しそうに俊介の肩を叩《たた》く。

一瞬、女の子たちも、冗談なのか本当なのか判断のつかない話に、どう対処していいのか分からなかったようで、「尾崎さん、その子のこと、襲っちゃうくらい好きだったんだ？」と話を合わせる。

「いや、違うんだって、ほんとに襲っちゃったんだよ。それで今、執行猶予の身なんだから。な？」

社長がまた俊介の肩を叩く。

「訴えられたの？」

「やり方が悪いんだよ」

「その子に好きだって言ってなかったんだ？」

「先に下半身のほうが告白しちゃったんだよな」

社長の下品な笑い声が響く。さすがに、集団で女を犯したとは言わない。酒のつまみ。酒場での笑い話。

社長は俊介と顔を合わせれば、この話をしたがった。俊介が話したわけではないのに、事件の詳細までやけに詳しかったのは、おそらく事情を知っている誰かが、酒のつまみ、酒の上での笑い話として、社長に話したからだろう。

あるとき、さすがに嫌気が差した俊介は、会社に引っ張ってくれた先輩の大杉に相談した。真面目《まじめ》に相談したにも拘らず、大杉が、「あの社長も笑い話としてしてんだろ?」と軽くあしらおうとするので、「笑えません」と珍しく俊介は言い返した。

次の瞬間、大杉の顔色が変わった。

「笑えません?……笑ってろよ。それで一千万円分の株、買ってもらえたんだろ? だったら俺に文句なんか垂れてねぇで話してやれよ。どこをどうやって押さえつけて、突っ込んだとき、その女がどんな顔してたか、向こうが聞きたがってること、全部話してやれよ! 何が『笑えません』だよ。お前、何様だと思ってんだよ……。甘ったれんじゃねえよ」

実際、入社後は少しずつ噂《うわさ》が広がったらしく事件の詳細を聞きたがる男たちは多かった。何が面白いのか、酔えば必ずそこで何があったかを聞きたがった。この社長のように、敢《あ》えて女たちの前で話したがる男は珍しかったが、飲み会や深夜の残業中、辺りに女がいなくなると、「どの辺からこう、気持ちがそっちの方っていうか、ヘンな感じになってくわけ？」とか、「他の男が見てる前で、普通に勃起《ぼっき》すんの？」などと露骨な質問もされた。

俊介は取り合わないようにしたが、あまりにもしつこいと、「もう勘弁して下さいよ」と笑ってやり過ごす。気がつけば、笑顔を作ることに慣れていた。慣れれば慣れるほど、事件の光景は記憶の奥に遠ざかり、笑えば笑うほど、仕事の成績は順調に伸びていった。

通信制とは言え、仕事と学業の両立は簡単ではなかった。平日は毎朝七時には出勤し、書類を投げつけられたり、椅子《いす》を蹴飛《けと》ばされたりする長い会議が終わると、あとは日が暮れるまで外を回る。会社に戻って残務処理をして、やっと解放されるのが十二時前。一人暮らしのアパートへ戻れば、シャワーを浴びる気力もなかった。それでも自分は恵まれていると感謝していた。あんな事件を起こした男でも、こうやって先輩のコネで職を得て、必死に働けばいくらでも人生を挽回《ばんかい》できると思えた。

野球だけしか知らない人間だった。野球だけをやってきた人間から、その野球を取り上げられた状況を、何に譬《たと》えればいいだろうか。野球ではなく、人生を取り上げられたようだった。もちろん自業自得《じごうじとく》だとは分かっていても、あの夜に戻れたら、あの夜の何かに憑《つ》かれたような昂《たかぶ》りを鎮《しず》めることができたらと、自分の身体《からだ》を切り刻みたいような衝動に駆られる夜もあった。

どうしてあの日、夏美たちはあの場所にいたのか。どうしてあの夜、夏美たちは寮についてきたのか。

身勝手な苛立《いらだ》ちにどうしようもなくなっていく。

それでも働けば働くほど事件の記憶は遠のいた。遠のくほどに、仕事は順調に運び、仕事に追われていたはずが、ふと仕事を追っている自分に気づいた。

大きな変化があったわけではない。たとえば、腕も上がらず、立っているのがやっとなのに、いつまでも終わらないノックの最中、飛んできた球が自然にスッとグラブに収まるような、捕れそうもない打球に最後の力を振り絞って跳びつくと、それがまたガツッとグラブに入ってくるような感じだった。

池袋の映画館で、水谷夏美に再会したのはそんな時期だった。自分にも人生をやり直すチャンスはあるのかもしれないと、やっと感じられるようになったころだった。

○

汗に濡れ、冷房で乾き、また汗に濡れては乾くTシャツから酸《す》っぱい臭《にお》いがする。昼過ぎに一度、着替えたのだが、肌にこびりついた臭いは消えない。汗でも汚れでもなく、これが自分の体臭なのかもしれない。

渡辺は足元のバッグから、新しいTシャツを取り出した。周囲に女子社員がいないのを確認し、素早く着替える。屈《かが》んだ腹についた贅肉《ぜいにく》が、デスクの冷たい引き出しに触れ、一瞬、ゾクッと身体が震えた。

尾崎俊介が立花里美との関係を自白したという第一報が伝わってきて以来、警察からの情報は途絶えている。かなことという内妻がありながら、尾崎が立花里美と関係を持っていたという事実に、相変わらず違和感は残っているが、それを払いのけるほどの理由があるわけでもない。

人生を踏み外した男の末路。

正直、この結末のほうが、尾崎俊介には似合っているような気さえする。

脱いだTシャツをコンビニのビニール袋に詰め、足元のバッグに押し込んでいると、「あれ、渡辺さんは?」「いるよ」と大声を出して部屋へ入ってくる小林杏奈の声が聞こえた。

身体を起こし、「いるよ」と、声をかけると、応接室のほうへ顔を向けていた小林が、「もう、なんで隠れてるんですか!」と舌打ちをする。

「隠れてないよ。ただ……」

「いいから、いいから」

駆け寄ってきた小林が、渡辺の言い訳を聞こうともせず、ガラガラと引っ張ってきた椅子に座り込む。

「どこ行ってたんだよ?」と渡辺は訊《き》いた。

「いろいろ調べに出てたに決まってるじゃないですか」

「で、なんか分かったの?」

「なんかカチンとくるなぁ。渡辺さんの物言い」

「ごめん」

「まぁ、いいや。えっと、まず立花里美のほうですけど、出身地の静岡で同級生の話が聞けました。静岡って言っても、三島のほうなんで近いんですけどね」

小林がバッグから小型の録音機と取材メモを取り出し、どっちにするか、と両手に持って見せる。渡辺は顎《あご》で取材メモのほうを指した。

パラパラと小さなメモを捲《めく》り始めた小林が、「ほんと、この仕事するようになって、つくづく思いますけど、どっかに普通の男っていないんですかね?」と言う。「……優しい男なんて、もう望みませんから、せめて普通の男でいいから」

「何？　里美の旦那《だんな》？」

「まぁ、里美の旦那も出来た男とは言えないけど、まず悪いのは里美の父親ですよ。いわゆるヤクザ崩れのチンピラでひどかったみたいですよ。たまに家に戻ってきては金をせびって、里美の母親が渋ると警察沙汰《ざた》になるような騒ぎを起こしてたんですって。田舎のことだから、そういう環境ってすぐに広まるじゃないですか。里美の中学時代の同級生に話が聞けたんですけど、彼女自身は里美と話したことはないらしくて、他に仲の良かった子を紹介してくれって頼んだら、『いないと思う』ですって」

「なるほどね。あの気の強さは、その辺からか。でも、不幸な少女時代だけじゃ、ちょっとありふれてて特集組むには弱いな。やっぱ、尾崎俊介たちのその後を詰めて絡《から》めないと」

「なんか、渡辺さんと話してると、ときどき自分がすごく嫌な人間になってるような気がしますよ」

小林はそう言ったが、すぐに気持ちを切り替えたらしく、「高校を卒業して地元から少し離れた富士吉田に引っ越してます」と報告を続ける。「……そこで萌くんの父親である男と知り合って」

「里美の仕事は？」

「うどん屋の店員です。ほら、街道沿いにあるじゃないですか、ドライブインの」

「旦那は？」

「近くにM製薬の工場があって、そこの期間作業員ですね。里美が働いていた店の近所に工場の社員寮があったみたいです。知り合って、すぐに萌くんを妊娠してます。近くのアパートで一緒に生活するようになって、萌くんが生まれたあと籍を入れてますね。結婚式なんかは挙げてないようです」

「で、今、その旦那は？」

「工場での契約が切れて、しばらくぶらぶらしてたみたいですけど、一年ほどで姿消してます。現在、所在確認不可能」

「それまでは二人で息子を育ててたんだろ？」

「それならまだいいけど、生まれてすぐ、萌くんは里美の母親に預けられてるんですよ。近所の人の話じゃ、本人は月に二、三度、会いに来る程度だったって」

「なるほど」

「で、その理由なんですけど、これ聞くとさすがの渡辺さんも人生が嫌になってきますよ」

「何？」

「二人で暮らしてたアパートが子供禁止だったんですって。夫婦はＯＫ。でも子供ができたら契約解除だって。……ったく、ペットじゃあるまいし」

嫌気が差したのか、小林はバッグから取り出したペットボトルの水を、うがいでもするように、しばらく口に含んでから飲み干した。

渡辺が煙草《たばこ》に火をつけると、「とりあえず、今からこの原稿起こしますけど、被《かぶ》せる写真が決まったら教えて下さいね」と、小林が椅子から立ち上がる。

渡辺は煙を吐き出しながら、「元レイプ犯と育児放棄した女か」と呟《つぶや》いた。立ち上がった小林が疲れた表情のまま、「あ、そうだ。もう一つ、例の事件の被害者、水谷夏美の元旦那に、電話で話が聞けたんですよ」と言う。

「元旦那って、彼女のこと、結婚後に何度も病院送りにしてた奴《やつ》だろ」

「まぁ、もちろん、その話はしてくれませんでしたけどね。……でも、ちょっと、ほっとするような話が聞けたんです」

「ほっとする話？」

「ほら、私たち、彼女はもう……、なんていうか、もういないんだろうなって思ってたでしょ？」

「だって、ＤＶの挙げ句に姿を消して……」

「ええ。そうなんだけど、元旦那の話だと、彼女、水谷夏美さん、生きてるはずだって」

「だって、何度も自殺未遂したあとの失踪《しっそう》だろ？」

「ええ。そうなんですけど、その元旦那が言うには、ほんの数ヶ月前に偶然会ったんですって」

「どこで？」

「立川のデパート。その元旦那がそこに商談に行ったときに、見かけたんですって。間違いないって、絶対に彼女だったたって」

「話したのか？」

「いえ、男と一緒だったらしくて」

「男と？」

「ええ。楽しそうに笑い合ってたんで、自分が彼女に何をしたのかも忘れて、無性に腹が立ったらしくて、あとを追いかけたんですって。そしたら、その一緒だった男が、学校の先生なのか、スポーツ用品店の前で小学生の男の子たちに囲まれてて、結局、声をかけられなくなったたって」

そこまで聞いて、渡辺はなぜかすっと血の気が引いた。理由は分からない。立川のデパート。スポーツ用品店の前で子供たちに囲まれた男と女……。

混乱した。尾崎たちが遠い昔に犯した女の話を聞いているはずだ。立川のデパートにいたのは、その女なのだ。決して幸福とは言えない人生を送っている女が、そこに立っているはずなのだ。それなのに、なぜかその女の隣に尾崎の姿が見える。自分がコーチを務める野球チームの少年たちに囲まれた彼が、水谷夏美の横に立っている。

「どうしたんですか?」

とつぜん小林に顔を覗《のぞ》き込まれ、渡辺は動揺を隠そうとデスクの煙草に手を伸ばした。

「いや、あり得ない……」

ついそんな言葉が漏れる。

「え?」

小林が怪訝《けげん》そうに首を傾《かし》げる。

「いや、なんでもない。……小林さん、水谷夏美の写真、見たんだよな?」

「え、ええ。話をしてくれた子に一枚だけ見せてもらいましたけど」

「それ、今、手元にある?」

「いえ、見せてはくれたけど、出所がバレると嫌だからって、預からせてはもらえなかったんですよ。それに運動会のときの写真で、あまり鮮明でもなかったし……。でも、それがどうかしたんですか？」

「いや……。じゃあ、尾崎俊介の女房には会ったことあるか？」

「いえ、まだ。でも、大久保さんの写真でなら……」

そこまで言って、小林が言葉を失った。

「でも……、だって……」

「似てるのか？」と、渡辺は嚙《か》みつくように言った。

「えっと、でも、見せてもらったのは中学のときの写真だし、日に灼《や》けてて……」

「似てるか、似てないか、どっちなんだよ！」

知らず知らずに渡辺は声を荒らげていた。近くにいた記者たちの視線が集まる。

「も、もう一回、見てみます。大久保さんからもらったまま、ファ、ファイルに入ってるはずだから」

小林は全部言い終えるのももどかしそうに、自分のデスクへと駆け戻った。渡辺はその背中を目で追いながら、「嘘《うそ》だろ……」と心の中で呟いた。

引き出しから写真を取り出した小林の背中が、一瞬固まるのが分かった。渡辺はもう一度、今度は声に出して呟いた。

「嘘だろ……」

「やっぱり、水谷夏美の実家に連絡入れておいたほうがいいんじゃないですか？」

小林がもう何度も繰り返した会話を蒸し返したのは、桂川の団地へ向かう車の中だった。

「……だって、娘は死んだと思い込んでいるんですよ。真っ先にお母さんには知らせてあげたほうが」

小林を黙らせるように、渡辺は急ハンドルを切って車線を変えた。さほど長くもない小林の髪が、一瞬、頬に触れるほど近くなり、甘い匂《にお》いが鼻をくすぐる。

「小林さんって男いるんだっけ？」

渡辺は前を走るトラックを煽《あお》った。

「急になんですか？」

「いや、彼氏とかいるのかと思って」

トラックが道を空け、渡辺はアクセルを踏み込む。助手席で小林の小さな背中がシートに埋まる。

「いますよ。それが何か？」

「いや、別に深い意味はないんだけど、そう言えば、小林さんとそんな話したことないなと思ってさ」

「会社でそんな話、する必要あります?」

「いや、ないけどさ。男と女でそれ以外に何の話をするんだろうって思うときもある」

「なんですか、それ」

明らかに機嫌を損ねたらしい小林が、気分を入れ替えるように窓を開けた。百キロを超えている車内に、風が殴るように吹き込んでくる。

「私、さっき、そんなことをされた男と一緒に暮らすなんて、あり得ないって言ったじゃないですか? 今でもその気持ちに変わりはないんですけど……」

小林が風音に対抗するような声を出す。渡辺は運転席のスイッチで助手席側の窓を閉めた。小林の声がそれに合わせて小さくなる。

「……自分の人生をぐちゃぐちゃにされたわけじゃないですか、水谷夏美、いや、そのかなこさんって人。あの事件を必死に隠そうとして、けど、いつもバレてヒドい目に遭って……。言ってみれば、あの事件が起きてから、ずっと事件と一緒に生きてきたようなものですよね。そのことを知らない人をずっと探していたような人生ですよね。でも、どこを探しても、そんな人は見つからなくて……」

小林はそこで言葉を切った。息苦しいのか、また窓を少しだけ開ける。

「……彼女、きっといつもビクビクしてたんだと思うんですよ。いつバレるか、いつバレるかって。自分を愛してくれている人だったら余計に。でも、結局駄目だった……。私、さっき、そんなことあり得ないって言いましたよね？　自分をレイプした相手と一緒に住むなんてあり得ないって。もちろん今でもその気持ちに変わりはありません。ただ……」

渡辺はハンドルを強く握った。助手席の小林の身体《からだ》を、規則正しく白いライトの明かりが照らしていく。

「その尾崎俊介の前では、もうバレる心配がないんですよね。だって、その犯人なんだもん。ずっとビクビク暮らしてて、彼女なりに一生懸命がんばって、でも、結局ずっとヒドい目ばかりで……。尾崎の前なら怯《おび》えなくてもいいんですよね。そいつの前なら、もうバレてるんだから怖くないんですよね。たとえどんなにその人のことを憎んでても」

車は桂川の団地最寄りの高速出口に差し掛かっていた。都心から来たせいか、出口の向こうに広がる闇《やみ》が、とても遠くまでやってきたような気にさせる。

車が団地の広場に到着したとき、すでに日が暮れていた。都心と違い、人の気配どころか、団地全体が廃墟《はいきょ》のようで、ぽつぽつと明かりのついた窓からこぼれるテレビの光でさえ、無人の居間を想像させた。

エンジンを止めると、虫の声が高くなる。ずっと鳴らしていたのか、小林が自分の爪《つめ》を自分の爪で叩《たた》く音がする。

「彼女に会って、何て言うつもりなんですか?」

爪の音が止《や》み、小林の声が籠《こも》る。渡辺はそのことについて何も考えていなかったことに今さら気づき、正直に、「分からない」と首を振った。

「……俺、自分は男だからさ、女のことは分からないもんだって、ずっとそう思ってきたんだ」

「え?」

とつぜん筋違いな話を始めた渡辺に、小林が首を傾げる。少しでも黙り込んでしまうと、すぐに車内が虫の音だけになる。

「想像力の欠如だよな。俺は男だから分かりっこないって、最初から諦《あきら》めてた」

「何の話ですか?」

「……ごめん。いや、でも本当にそう思うんだ。俺らの仕事って、たいてい犯罪者を追いかけてるだろ。みんなで取り囲んで、乱暴にマイク突きつけてさ。その取材相手が男なら、なんとなく分かるんだよ。いや、そう思い込んでるだけかもしれないけど、その、マイクを持った自分の腕をさ、そんなに、強く、深く、突っ込まなくても、どっかで相手の思ってることっていうか、もちろん嘘つく奴のほうが多いけど、それでもどっかで自分と同じ男だって気を許してるところがあってさ、手加減ってわけじゃないけど、相手が何も答えなくても、うまい嘘ついても、どっかでそいつが何考えてんのか分かるような気がするんだよ。いや、もちろん分かっちゃいないんだけどさ。こいつを殴りさえすれば晴れる程度の、言ってみれば直情的な憤《いきどお》りなんだよ。でも、これが女相手となると、本当に分かんないんだよ。なんで何も答えないのか。なんでそんな見え透いた嘘をつくのか。だから男のとき以上に、マイクを強く突っ込んじゃうんだよ。大勢で取り囲んでさ。男の犯罪者が謝る以上に、謝ってほしくなるんだよ。本当に苛々《いらいら》してくるんだ。殴りたいのに絶対に殴れないときみたいに」

自分でも何を伝えたいのか分からないのだが、とにかく言葉を並べれば、その何かが出てくるような気がしてならなかった。

そんな話を小林はじっと聞いていた。

「……怖かったと思うよ。そんな男たちに、そこで囲まれてたんだから」

渡辺は広場に目を向けた。視線の先には真っ暗な立花里美の家があった。

「……あの女も、必死に虚勢張ってたけど、内心すげえ怖かったんだと思うよ。男たちに取り囲まれて、罵声《ばせい》浴びせられて、逃げ出せなくて……」

　そこまで言ったとき、俯《うつむ》いていた小林が顔を上げ、渡辺を見つめた。

　言葉を交わしたわけではなかった。ただ、互いに今ふと感じたことが同じだという確信だけはあった。

「俺、なんの根拠もないけど……、彼女、嘘ついてると思う。尾崎と立花里美には何もないんだよ」

　渡辺はそう言った。

「私もそう思います。でも、なんで今さらって気持ちもあります。今さらそんなことするくらいなら、一緒に暮らす必要なんて……」

　女は復讐《ふくしゅう》するために、憎悪《ぞうお》する男に抱かれることができるのか。

　ふと浮かんだ疑問をどうしても口に出せない。

「とにかく、行ってみましょう」

　ドアレバーに手をかけた小林が言う。渡辺は小さく頷《うなず》き、運転席から降りた。砂利を踏み、広場を横切った。自分と小林の、砂利を踏む足音がシンとした団地に響く。真っ暗な玄関先に立つと、渡辺は背後の小林を振り返った。息を詰めている小林が、小さく頷く。

渡辺は玄関ドアに近づき、「尾崎さん！」と声をかけた。一度、ドアをノックする。戸に嵌《は》められたガラスが音を立てる。

「尾崎さん！　尾崎さん！」

呼ぶごとに声が高くなる。叩くごとに、ガラスの音が、ガシャン、ガシャンと激しくなっていく。

玄関に灯りがついたのはそのときだった。擦りガラスの向こうに、薄《うっす》らと女の影が浮かぶ。

渡辺は思わず、「水谷さん、水谷夏美さんですね？」と声をかけてしまった。一瞬、ガラスの向こうで影の動きが止まる。

渡辺はドアに耳をつけた。微《かす》かな声が中から聞こえる。

「え？　なんですか？」と渡辺は怒鳴った。

横で小林も同じように耳をつけ、「開けて下さい。お願いします」と声をかける。

短い沈黙があった。そして、ドアの向こうから、「騒がないで下さい」というか細い声が聞こえてくる。

「……騒がないで。話しますから。だから、騒がないで」

渡辺はドアから離れた。

本当にあなたは水谷夏美さんなのか。もしそうならば、なぜこんな所で、尾崎俊介と暮らしているのか。尾崎と立花里美がデキていたというのは本当なのか。あなたは尾崎が憎いのか。憎いのに、どうしてこんな所で……。いったい何があったのか。何が本当で、いったい何が嘘なのか。

訊《き》きたいことが、今にも溢《あふ》れそうになる。

◯

長い取り調べが終わり、俊介は留置場へ戻った。

刑事が尋ねることにすべて頷き、詳細を聞かれれば、「覚えていない」と答えた。質問に答えるようになれば、取り調べ時間も短く感じられる。ついさっき、留置場を出たつもりが、すぐに昼食が出る。そしてまた数時間の取り調べのあと、留置場へ戻される。

背後で重い音が響いて、俊介は振り返った。鍵《かぎ》をかけた若い警官が、几帳面《きちょうめん》に施錠《せじょう》を確認したあと、行進でもするように姿勢を正して歩いていく。

俊介はその背中を見送ると、一番奥の壁に凭《もた》れて座り込んだ。昨夜、ずっと爪で彫っていた床の罅《ひび》が、いつの間にか大きくなっている。俊介はゆっくりと目を閉じた。池袋の映画館で偶然、水谷夏美を見かけ、気がつけば追いかけていた。自分でも何をどうしたいのか分からなかった。池袋駅の切符売り場だった。

声をかけた自分に、彼女は、「謝りたいわけ？」と険しい口調で言った。何も答えられずにいると、とても悲しそうな目をした。とても悲しそうな目で、「許して欲しいなら、死んでよ」と静かに言った。

彼女が改札に駆け込んだあと、かなり長い時間、そこから動けなかった。許して欲しかったのかと自問した。許してもらえるわけがない。じゃあ、なんで、彼女に声をかけたのか――。

その日から、「許して欲しいなら、死んでよ」と静かに呟《つぶや》いた彼女の表情を、思い出さない日はなかった。大袈裟《おおげさ》だと言われるかもしれないが、本当に毎日毎日、彼女の顔が浮かんでは消えた。あっという間にひと月が経《た》ち、半年が過ぎる。もちろん忘れようと努力した。忘れるために必要以上に仕事に没頭した時期もある。ただ、忘れようとすればするほど、月日が経てば経つほど、彼女の言葉が鮮明になってきた。

彼女の暮らしを夢想するようになったのは、いつごろからだっただろうか。気がつけば、彼女が通っているだろう、どこかの大学のキャンパスを勝手に思い浮かべるようになっていた。新しくできた友人たちと談笑する彼女が、好んで座るベンチもある。大学を卒業する年になると、夢想の中で、彼女は大手旅行代理店に就職した。ほっそりとした彼女は、ブルーの制服がよく似合い、週末には友人たちとフランス語会話の教室に通っている。

「許して欲しいなら、死んでよ」という言葉を頭の中から締め出すために、彼女の日々の細々とした様子を想像することは、役に立った。それどころか、自分自身、連日の残業で睡眠不足が続いているときなど、彼女の楽しげな日常を思い、ほっと息をついていることもあった。

想像の中、彼女は社内の男に交際を申し込まれ、断る。自分の日常生活に起こる出来事が、そのまま頭の中で彼女の物語になっていく。自分が誰かと付き合えば、想像の中の彼女も誰かと付き合い始めた。それでいいのだと思いつつ、どこかで認めたくない気持ちもあった。

十数年という月日は、決して途方もなく長い歳月ではない。何かを十数年思い続けることなど、人間には簡単なことなのだ。

自分が十数年を暮らしたのなら、間違いなく彼女の十数年もそこにあった。想像の中で彼女は事件を忘れ、再びスタートを切った人生を謳歌《おうか》していた。謳歌しているはずだった。

一昨年《おととし》の夏のことだ。炎天下、いつものように外回りで有楽町を歩き回っていた。シャツの胸には汗染《あせじ》みができ、額から流れ落ちる汗は、ハンカチで拭《ふ》いても拭いても止まらなかった。

駅前の交差点で信号待ちをしているときだった。スクランブルの横断歩道には陽炎《かげろう》が立ち、白線がゆらゆらと揺れて見えた。自販機で水を買う暇もなく歩き回っていたせいで、脱水状態に近かった。陽炎に揺れる横断歩道を目の前に、少しでも気を弛《ゆる》めると、その場で倒れてしまいそうだった。

交差点の反対側で、路肩に黒塗りの車が停まっているのに気づいたのは、そろそろ信号が青に変わろうとしたときだ。ずっと視線を感じていたものの、翳《かす》んだ目では通りの半ばさえはっきりしない。が、車の中から確かに誰かがじっとこちらを見つめている。

信号が変わって歩き出すと、ドアが開いて、仕立ての良いスーツを着た男が出てきた。車内は冷房が効いているはずで、男の表情は涼しげだった。

「尾崎さん！」

大声で呼ばれ、横断歩道の途中で立ち止まった。こちらに手を振っているのは、大学野球部時代の一学年後輩、藤本尚人だった。

一瞬にしてあの夜のことが浮かび上がり、方向を変えようとした。しかし、疲れ切った足は思うように動かず、あっという間に駆け寄ってきた藤本に肩を摑《つか》まれた。

「尾崎さん、俺ですよ、俺」

汗でぐっしょりと濡《ぬ》れていたせいか、藤本は肩に置いた手をすぐに離した。藤本は昔と全く変わっていなかった。金持ちのボンボンのくせに澄ましたところがなく、金持ちのボンボンらしく表情に翳《かげり》がない。

俊介が返事もせずにいると、すぐに察した藤本が、「まぁ、俺なんかとばったり会っても、嬉《うれ》しくないっすよね。嫌なこと思い出すし」と、申し訳なさそうな顔を作ってみせる。

「もう取締役なんだってな。この前、なんかの雑誌で見たよ」

俊介は背後の黒塗りの車へ目を向けた。

「三男とはいえ、一応、社長の息子ですからね。尾崎さん、証券会社でしたよね？」

藤本が屈託のない笑顔を浮かべる。

俊介は汗染みのついたシャツの胸元に風を入れながら、「毎日、歩き回ってるよ」

と苦笑した。

仕事を始めた時、真っ先に浮かんだのが藤本の顔だった。事件後、連絡を取り合っていなかったが、藤本が自分を慕っていたのは間違いなく、頼み込めば、数百万円程度の株くらいすぐに買ってくれそうだった。だが、俊介は連絡を入れなかった。藤本を頼ることで、せっかく断ち切ろうとしていた過去を、自分からたぐり寄せてしまうような気がしたのだ。

「尾崎さん、結婚は？」

沈黙が長引きそうになり、藤本が気を遣って口を開いた。藤本の質問に、俊介は黙って首をふった。

実際は、会社に引っ張ってくれた先輩の妹と、すでに婚約していた。しかし、なぜか藤本には告げる気になれなかった。

「まだっすか。俺なんか、もうガキもいますよ」

野球部時代に戻ったように、藤本が照れ臭そうな口調で言う。

「……いやぁ、それにしても久しぶりっすね。いつ以来っすか？　あの事件の公判以来だから、もう十一、二、いや、十三年ぶりですよ」

再び信号が変わり、背後を車が走り抜けていく。歩道に足をのせると、藤本も一緒に移動した。

「あ、そうだ。あの事件と言えば、あの水谷夏美さん、今、どうしてるか、尾崎さん、知ってます?」

「水谷夏美?」

「ほら、俺らが……」

あまりにも藤本の口調は軽かった。顔には笑みまで浮かんでいるように見える。

「許して欲しいなら、死んでよ」

そう呟いた彼女の声が蘇《よみがえ》る。

池袋の映画館で偶然に再会して以来、空想の中ではずっと彼女を見守っているつもりでいた。しかし、藤本のひと言で、自分がこちら側の人間なのだと、改めて思い知らされる。

「……いや、俺も偶然で驚いたんですけどね。ついこないだ、義理の母親がちょっとした病気で入院したんですよ。で、そこにお見舞いに行ったら、あの水谷夏美さんとばったり」

一方的な藤本の話を聞きながら、ずっと想像していた彼女の様子が浮かんだ。浮かび上がった光景の中では、彼女にも結婚を前提とした付き合いをする男がいた。自分に、婚約者ができたように。

妊娠でもしたのだろうか。

俊介は、急に落ち着かなくなっていた。

「尾崎さん？」

藤本が顔を覗《のぞ》き込んでくる。

「……それでね、ちょっと病院内で聞いたんですけど、彼女、結婚してるらしくて」

そこまで聞いた瞬間だった。比喩《ひゆ》ではなく、本当に肩から何かがすっと下りたような気がした。

「彼女、結婚してるのか？」と俊介は訊いた。

「え、ええ。ネームプレート見たら青柳夏美になってましたから」

藤本が心なしか顔を歪《ゆが》める。

「ただ、結婚してるんですけど、これが、なんていうか……」

「なんていうか？」

「ええ。こう言うと、不謹慎ですけど、不幸な女っていうのは、どこまで行っても不幸っていうか。その旦那《だんな》ってのがひどい男みたいで、彼女を殴るらしいんですよ。病院で見かけたときも、彼女の顔に痣《あざ》がありましたからね。何度も入退院を繰り返してるらしくて、その病院では有名な話なんだって」

藤本の物言いは、あまりにも事件と遠かった。たしかにあの場所にいたはずなのに、藤本の口調からは、後悔も、反省も、憐《あわ》れみも感じられない。俊介は思わず藤本の胸ぐらを摑みそうになり、やっとの思いで堪《こら》えた。

藤本があの場所にいたように、自分も間違いなくあの場所にいた。親の力があったにしろ、今の藤本があの場所から完全に逃げ遂《おお》せているとはいえ、自分に藤本の軽薄を罰する資格はない。

気がつくと、足が震えていた。ことあるごとに想像していた彼女の幸福な人生に、目の前で唾《つば》を吐かれたようだった。

俊介は別れも告げずに歩き出した。藤本からというよりも、嘘《うそ》ばかりだった自分の楽観的な想像から逃げるように。

藤本から聞き出した病院へ向かったのは、その週末だった。

婚約中だった女性と、彼女の両親を誘って、箱根へ温泉旅行に出かける予定だったが、前日になって急に接待ゴルフが入ったと嘘をついた。

水谷夏美が入院していたのは、三鷹《みたか》駅からバスで二十分ほどの総合病院だった。敷地は広く、建物の裏には小高い丘を模した庭まであった。

ナースステーションで彼女の名前を告げると、担当だという年配の看護師が出てきて、彼女との関係を無表情で訊《き》かれた。

「友人です」と答えたのだが、看護師は表情も変えず、「まだ落ち着いてないので、できれば面会はご遠慮いただきたいんですが」と言った。

仕方なく、乗ってきたエレベーターで一階へ降り、しばらくロビーのソファに座っていた。

会って何を言うつもりなのか。彼女を慰めようとでも思っているのか。考えれば考えるほど、勢いに任せてこんな所まで出向いた自分の無神経さが嫌になった。

廊下の先に、日を浴びた裏庭が見えた。眩《まぶ》しい緑の芝生に誘われるように廊下を抜けて外へ出た。

その瞬間、日陰のベンチに座っていた女性がすっと立ち上がる。彼女だった。白い薄手のガウンを羽織った彼女が、まっすぐに自分を見ていた。

彼女は一瞬立ち去ろうとして、足をもつれさせた。俊介が慌《あわ》てて近寄ろうとすると、彼女がさっと自分の目元を隠す。

入院着の若い母親が、小さな男の子を芝生で遊ばせていた。一見、和やかな光景なのに、青白い母親の顔色だけがその光景に不似合いだった。

距離を保ったまま、黙って夏美を見つめていた。やつれた様子だった。枯れ枝にガウンが引っかかっているように見えた。池袋の映画館で再会してから、倍も老《ふ》けこんだように見えた。もう一度会えば、何か浮かんでくると信じていた言葉も、結局、何も浮かんではこない。

無遠慮な視線に晒《さら》されて、夏美の表情は刻々と変わった。驚きから、怒りに、怒りから、悔しさに、そして悔しさから、呆《あき》れ果てたように。

彼女は視線を逸《そ》らして、ベンチに腰を下ろした。俊介はゆっくりと芝生を踏んで近づいた。

確かに踏んでいるのに、身体《からだ》が浮いているようだった。

「……大丈夫ですか？」

かろうじてそれだけ言えた。

この十年、もしも彼女に再会できたら、ああも言おう、こうも言おうと考えていた言葉など、一つも口から出てこない。

足元を見つめたままの彼女に、「尾崎です。……すいません。あなたがここに入院していることを偶然知って、それで……」と言った。

彼女が痙攣《けいれん》でもしているように、「ふん」と鼻で笑ったのはそのときだ。肩まで震わすような痙攣は、目の前で徐々に大きくなった。

次の瞬間、彼女は口を開けて笑い出した。歯と歯の間で唾が糸を引いていた。今にも身体が分解してしまいそうなほど、けたたましい笑い方だった。近くで遊んでいた男の子が怯《おび》えて、母親の元へ駆けていく。

「大丈夫ですか？」

夏美はとつぜん真顔に戻り、そう呟《つぶや》いた。

「大丈夫ですか？……大丈夫ですか。……大丈夫ですかっ！」

彼女の声は裏庭を囲む病棟の壁に響いた。

○

あの日、アパートへ戻ると、足の爪《つめ》が割れて、血が滲《にじ》んでいました。サイズの合わない靴だったから……。駅の中や階段を痛みにも気づかずに走ったせいだと思います。

池袋駅の外で目が合ったとき、彼が尾崎俊介だとすぐに分かりました。日に灼《や》けて、脂《あぶら》ぎっていた昔の彼の姿からはほど遠くて、青白いひげ剃《そ》りあとばかりが目立ってて。でも、すぐに分かったんです。その男が尾崎だって。

結局、何も忘れてなかったんだと思います。私、尾崎を見た途端に駆け出したんです。大学で新しくできた友達と、いくら楽しく過ごしているつもりでも、結局、何も忘れていなかったんだと思います。

あの事件の後、すぐに転校した高校でもあっという間に噂《うわさ》になりました。もちろん味方になってくれる友達もいて、いじめられたというわけではありません。でも、「誰に彼氏ができた」とか、「誰が誰々くんのことを好きだ」とか、そういう話ばかりが毎日の話題になる学校で、私だけがその輪から外されていたのは確かです。だって、これから始まる恋の話をしているのに、私がそこに入ることで、何か汚《けが》されるような気がしたんだと思います。

あの頃、家では毎晩のように両親が喧嘩《けんか》をしていました。他愛のない夫婦喧嘩のはずなのに、言葉の端々に軽率な行動をした娘への情けなさが混じっているように思えました。

あるとき、テレビでバラエティ番組を見ていたんです。温泉で裸の若いお笑い芸人がふざける場面があって、その馬鹿馬鹿《ばかばか》しさに私が笑っていると、風呂《ふろ》から出てきた父が、「こんな番組の何が可笑《おか》しいんだ！」っていきなり怒鳴って、私が寝転んでいたソファの脚を蹴《け》ったんです。

男の裸を見て、私が笑っていることが不愉快だったんだと思います。たかがお笑い番組なのに、それでも許せなかったんだと思います。

結局、父は家を出ました。母との喧嘩にも疲れたんだろうし、正直なところ、あんな目に遭った娘をどう扱っていいのか分からなかったんだと思います。

大学に入ると、環境は良くなりました。一人暮らしを始めたし、友達もできて、過去を知る人はいなかった。新しい自分になれた。いくらでもやり直せる。やっとそう思えたんです。

そんなころだったんですよ。池袋駅で尾崎に声をかけられたのは。

あのとき、「きちんと謝りたい」と言いかけた尾崎に、私は、「許して欲しいなら、死んでよ」と言いました。

それ以外、言葉が浮かばなかった。そして逃げ出したんです。

忘れられる、これで新しい自分になれると思っていたのに、結局、何一つ忘れられずにいる自分に腹が立って仕方なかった。

大学では、付き合いの真似事《まねごと》のようなこともできるようになりました。

相手は小川宗吾《そうご》くんという同級生で、授業中に映画に誘われて、断るつもりでかけた電話で、「ずっと好きだった」と告白されたんです。嬉《うれ》しかったというよりも、驚きました。私の過去を知らない人なら、こうやって私を好きになってくれるんだって。

三ヶ月くらいでしたけど、週末になるとデートして、でも、会えば会うほど二人の温度差のようなものが目立って。

「夏美は、他に好きな奴《やつ》がいるんだろ?」って、あるとき言われました。「いない」って答えたんだけど、信じてくれなかった。

「もっと気持ちを伝えてくれよ。何でも話してくれよ」

彼によくそう言われました。でも、私には、「話すことなんて、特にないの」としか答えられなかった。

何でも話せるわけないですよ。少しずつだったけど、彼のこと好きになり始めていたんだと思います。でも、結局自然消滅みたいになってしまいました。

大学を卒業して、第二希望だった大手損害保険会社に就職できました。

仕事は楽しくて、あっという間に毎日が過ぎていくような感じでした。忙しければ忙しいほど、古い皮が剝《は》がれ落ちていくような解放感があったんです。

別の課で働いていた米田誠《よねだまこと》と知り合ったのは、そんなころでした。もう完全に新しい自分になれたという自負があったんだと思います。いつの間にか社内でも公認の仲になっていました。

「俺、早く結婚したいんだよな」というのが酔った米田の口癖で、私自身そんな言葉をどこかで素直に喜んでいたような気もします。

正直なところ、今となっては当時の記憶があまりないんです。自分が本当にちゃんと結婚の約束をしたのかもあやふやなんです。

でも、米田に言わせれば、「騙《だま》された」ことになるらしくて……。

ある日、会社へ行ったら、あからさまに職場の雰囲気が違っていました。不思議と慌てることはなかったけど、ただ、「ああ、バレたんだ」って。本当にそれだけしか頭には言葉が浮かんでこなかった。

簡単なことなんです。結婚を決めたらしい一人息子のために、米田の両親が私のことを調査した。出てきた結果に、米田という男が耐えられなかっただけ。

そして、自分一人では荷が重過ぎて、「俺は悪くない。被害者なんだ」ってことを、周囲に伝えたかっただけなんだと思います。

「なんで言わなかったんだ？」って、何度も米田に責められました。

「思い出したくなかった」

私はそう答えました。味方になってくれると思っていたから。

「俺はお前と結婚したいと思ってる。親の意見なんてどうでもいいんだよ」って、米田は言いました。

「だったら……」

私がそう言おうとすると、米田はがくんと肩を落として、「でも、無理なんだよ。自分の嫁さんが、昔、男たちに寄ってたかって犯された女なんだと思うと、自分が貧乏くじ引かされたような気がするんだよ」って泣いたんです。

あの人、泣いたんです……。私の前で。

会社は、一身上の都合という理由で辞めました。

辞めるように言われたわけではなかったけど、引き留めてくれる人もいなかった。仲の良かった同僚にも言われたんです。「あなたのためにも新しい場所で、一から出直すほうがいいよ」って。

実際、そうなんだろうって自分でも感じていたんだと思います。

仕事を辞めて、二ヶ月ほど母だけが残っていた実家に戻りました。何もやる気が起きなくて、母の愚痴だけを聞きながら過ごした二ヶ月だったように思います。

「強い男を見つけなさいよ。あんたのこと、全部受け入れてくれるような、強い男を見つけなさい」

母はことあるごとにそう言ってました。

母なりに励ましてくれていたんだと思いますけど、結局、自分も見つけられなかったからかもしれません。

二ヶ月後に再就職した会社は、小さなリース会社でした。前の仕事に比べれば、任されるのは雑用みたいなものばかりだったけど、大きな会社とは違って家族的な雰囲気で、みなさんもよくしてくれました。

社長の趣味だった「山歩きの会」にも参加するようになって、気がつけば、週末や連休を楽しみに待つようにもなっていました。

何もかも、「もう、いいや」と投げ出してしまえば、それはそれで先に広がる景色もあったんだなって。山に登るたびにそんな気持ちになれて。

取引先の社員だった青柳亭と知り合ったのは、この「山歩きの会」でした。披露宴で頂いた社長のスピーチによれば、会社で私に一目惚《ひとめぼ》れした青柳から、私を山歩きに誘うように頼まれたということです。

当初は「山歩きの会」だけでの付き合いでした。

空気の澄んだ山頂で互いに交わす言葉は清潔で、どうせまた嫌な目に遭うって分かっているのに、青柳の言葉を信じてしまったのは、きっとそんな山の中で過ごした時間が多かったからだと思います。

世話好きな社長が苛々《いらいら》するほど、青柳との付き合いはゆっくり進みました。でも、進めば進むほど、先に話しておかなければ、という思いが募って。進めば進むほど、話すのが怖くなる。

青柳を好きだったんだと思います。ゆっくりと交際が進めば進むほど、青柳を失うのが怖くなったんだと思います。

大学のころに付き合った小川くんにも、ひどい別れ方をされた米田にも、感じたことのないものだった気がします。全《すべ》てを話して、その上で受け入れて欲しいと思ったんです。

もうすぐ三十になろうとしているころでした。

ある夜、青柳に自宅アパートまで送ってもらった車中で、告白したんです。週末を青柳のアパートで過ごしたあとでした。

「ちょっと話があるんだけど、どこかに車停めてくれないかな」って。

今でもはっきりと覚えてますけど、青柳は機嫌良さそうにラジオから流れる音楽に合わせて、ハンドルを指で叩《たた》いていました。

青柳が車を停めたのは、小さな児童公園の前でした。あと数分歩けば、自分のアパートがありました。

「本当はこんな話、したくないんだけど……。でも、あとで知られるのは嫌なんだよね。あとで知られたことで、これまでずっと嫌な思いばっかりしてきたの。だから、あなたには先に言うね」って私は言いました。

青柳はかなり緊張してましたから、深刻に響いたんだと思います。

私の告白を、青柳は黙って聞いていました。ハンドルに置いた指も、まったく動かさなかった。あのとき自分がどのように話したのか、ほとんど覚えていません。

ほんとに長い沈黙のあと、青柳は言ったんです。

「ありがとう。……言ってくれて、ありがとう」って、そう言ったんです。

予想もしていなかった言葉でした。

この話をするのがどれくらい辛《つら》かったか、俺にも分かるって、青柳は言いました。

自分のことを信用してくれたことを、心から嬉しく思うって。

気がつけば、私、大声で泣いてました。あの夜、あそこで大声を出して男たちの手の中から逃げ出して以来、初めてあんなに大きな声を出したような気がします。

青柳から正式にプロポーズされたのは、それから数日後のことでした。

「夏美ちゃんと結婚したいと思う。一生、夏美ちゃんを大切にできるって、自信を持って言える」

青柳はそう言ったんです。

青柳との結婚は、そんな言葉で始まったんです。私の告白のあと、あの男は大切にできる自信があるって言ったんです。それなのに……。

あれは、結婚して半年くらい経《た》ったころでした。青柳の仕事帰りに待ち合わせて、銀座で食事をしたことがあります。たまたまその店に、私の大学時代の友人がいたんです。

テーブルまで挨拶《あいさつ》に来た彼に、私は青柳を紹介しました。短く近況を報告し合って、彼がテーブルに戻ったときでした。とつぜん青柳の顔色が変わって、そわそわし始めたんです。

友人とその恋人が店を出ていくと、青柳は言いました。

「あいつ笑ってたな。なんでだ?」って。

社交的な友人で、いつもニコニコしている人だったんです。だから、私はそう答えました。

それなのに、青柳は、「あいつ……、あいつも知ってんだろ？　だから俺を見て、笑ってたんだろ！」って言ったんです。握ったワイングラスが震えてました。

青柳から外出を禁止されるようになったのは、そのころからでした。たかがデパートに買い物に行くだけでも嫌な顔をするようになって、毎日、財布の残金とレシートを調べられるようになっていました。

暴力を振るわれるようになったのは、青柳が小さな支店へ異動になってからだったと思います。関係があるのかないのか分かりませんけど、そのころ、私は流産を経験していました。

初めて殴られたのは、セックスの最中でした。

「白けた顔すんなよ！」

「してないでしょ」

「大勢に姦《や》られるほうが気持ちいいんだろ！」

酔っていたとはいえ、我慢できない言葉だった。

ベッドから逃げ出そうとすると、腕を摑《つか》まれました。それでも逃げようとすると、腹を殴られたんです。

呼吸ができませんでした。床に蹲《うずくま》っていると、「お、お前が悪いんだからな」って、あの男は泣いたんです。

○

渡辺はここで取材テープを止めた。

目を閉じると、かなことなった水谷夏美が淡々と語ってくれた尾崎宅の室内の様子が浮かんでくる。

決して不潔というわけではなかった。ただ、テーブルや床には雑然と物が置かれ、これからここでの生活を始める引っ越しの途中というか、ここでの生活を終える引っ越しの途中というか、とにかく生活感というものが全く感じられなかった。

水谷夏美が素直にインタビューに応じてくれたのは、小林の説得も大きかった。

「いずれ警察があなたの素性を調べ上げると思います。とすれば、その時点であなたの証言の信憑性《しんぴょうせい》は低くなりますよ」

警察がどこまで情報を摑んでいるのかは分からないが、身元も定かでない人間の言葉をそう易々《やすやす》と信じきってしまうとは思えない。となれば、かなこと名乗る証言者の素性を調べ出すくらい、警察にとってはさほど難しいことではないはずだ。

イヤホンを外して煙草《たばこ》に火をつけると、背後を通った先輩記者の松井が、「何、聞いてんの?」と声をかけてきた。昼食を取ってきたばかりらしく、ヤニで汚れた歯で爪楊枝《つまようじ》を噛《か》んでいる。

「いや、ちょっと。……それより何食ってきたんすか?」

渡辺は話を変えた。

「親子丼《どん》。無性に旨《うま》い親子丼食いたくなってさ。わざわざ『さわ亭』まで行って、二十分も並んじゃったよ。あそこ、いつ行っても混んでんな」

そう言って、爪楊枝を足元のゴミ箱へ投げ入れる。

「あの、松井さんって子供さんがいるんでしたっけ?」

「ああ、いるよ。息子と娘。息子は今年やっと大学合格した。娘は高一だけど、なんで?」

「いや、別に大したことじゃないんですけど、もしですよ、もし、その息子さんがレイプ事件なんて起こしたらどうします?」

「レイプ? ああ、そのテープ、例の事件のあれ?」

「え、ええ。そうなんですけどね」

渡辺はデスクに積まれた記事を指で叩いた。そこに視線を落とした松井は、一瞬、冗談で返そうとする表情を浮かべたが、すぐに考え直したようで、「そうねぇ、がっかりするだろうな」と眉《まゆ》を顰《ひそ》めた。

「がっかり？」

思いがけない言葉に、渡辺は松井の顔を見上げた。

「それ、真剣に訊《き》いてんだろ？」と松井が訊き返す。

「ええ」

「じゃあ、真剣に答えるけど、そんなバカなことで、息子の一生がさ、台無しになると思うと、がっかりするよ。親としては」

「がっかりですか。……あの、じゃあ、もし娘さんだったら？」

「娘？　娘が犯されるってこと？」

「ええ」

「そ、そんなの、相手の男、ぶっ殺すよ」

松井の表情が露骨に険しくなる。渡辺は、「で、ですよね」とだけ言葉を返した。

「ところで、どうなってんの？　事件のほうは」

立ち去ろうとした松井が足を止めて尋ねてくる。

「警察は、尾崎を立花里美との共犯説で絞り上げてるみたいですけど」

「女房が密告《チク》ったにしろ、共犯までもって行けるかな？」

渡辺はなぜか水谷夏美に取材したことを告げなかった。どちらにしろ、この取材が記事になれば分かることなのだ。一瞬、渡辺の脳裏に、自分はこの取材を表に出さないつもりなんじゃないかという疑念が湧《わ》いてくる。

ふと留置場にいるだろう尾崎の姿が浮かんだ。今、尾崎はどんな気持ちで、水谷夏美、いや、かなこの裏切りを受け止めているのだろうか。

○

夫に殴られ、入院していた夏美を、俊介は週末ごとに見舞った。

受け取ってもらえないと分かっていても、花や菓子と一緒にいつも短い手紙をつけた。そこに何を書いていたのか、今となっては殆《ほとん》ど覚えていない。ただ謝罪を繰り返し、こんな自分が言える言葉ではないが、「がんばって下さい」と、震える手で書いていた。

手紙は日に日に厚くなった。仕事に疲れた深夜に書くため、「あなたのためなら、何でもする」などと、思いが溢《あふ》れて書いていたかもしれない。

だが、結局、一度も会えぬうちに、彼女は退院してしまった。彼女が指示したのか、看護師たちの考えだったのか、毎週末通っていたのに、俊介が彼女の退院を知らされたのは、実際に彼女が病院を去って二週間目のことだった。

その数ヶ月後、病院からまた夏美が入院したという知らせを受けた。夫はもちろん、実家にも連絡しないでくれ、という夏美に困り果てた師長が、以前、連絡先を渡しておいた俊介に、一縷《いちる》の望みをかけて事情を知らずに電話をくれたのだ。誰かが自分を心配しているということを知るだけでも、今の彼女には力になるのだと師長は言った。師長は俊介を昔の恋人だと勘違いしていた。

連絡をもらうと、すぐに見舞いに行った。

病室をこっそり覗《のぞ》くと、以前よりも更にやつれた夏美が眠っていた。師長の話ではほとんど食事も受けつけないらしかった。

あれは四度目だったか、五度目だったか、どうせ会ってはもらえないだろうと、いつものようにナースステーションに菓子だけを置いて帰ろうとした。正面のレクリエーション室から、ふいに夏美が姿を現したのはそのときだった。

偶然というよりも、そこでずっと待っていたようだった。夏美は何も言わずにじっとこちらを見ていた。

動転して言葉も出ず、俊介は見つめられたまま、そこに立っているのがやっとだった。

どれくらい見つめ合っていただろうか。夏美は声をかけることもなく、俊介の前を通って病室へ入った。そして振り向きもせずにドアを閉めた。

それからも見舞いは欠かさなかった。再び会うことはできなかったが、師長から手紙はきちんと読んでいるようだと聞いていた。


その夜、俊介は婚約者だった紗英《さえ》の家族と、銀座のレストランにいた。携帯が鳴ったのは、席に案内された直後だった。どうせ会社からだろうと取り出すと、表示に「公衆電話」と出ていた。

俊介はその場で携帯に出た。

「もしもし？　もしもし？」

いくら呼びかけても、相手の声が聞こえない。ただ、どこかの街の気配だけが伝わってくる。

首を傾《かし》げる俊介の横で、紗英たちは別の話を始めていた。俊介は諦《あきら》めて切ろうとした。そのときだった。

「もしもし」と、女の声が聞こえた。たったのひと言で分かるはずはないのだが、なぜか俊介には電話の向こうにいるのが夏美だと分かった。

「もしもし！」

「……今、レストランに入るところを見かけたから」

聞こえてきたのは、間違いなく彼女の声だった。

紗英や彼女の両親に理由も告げず、店を飛び出した。携帯を耳に押し付けたまま、走ってくる車も気にせず通りへ出た。

「どこですか？　どこにいるんですか。教えてください！」

激しいクラクションの中、大声を張り上げていた。

すぐそこの欅《けやき》の裏に、電話ボックスがあった。夏美はそこにいた。そこから真っすぐにこちらを見つめていた。

夏美の格好は、銀座に似つかわしいものではなかった。自宅から近くのコンビニにでも向かうようなラフな服装で、足には安物のサンダルを履いている。

電話ボックスのガラス越しに、どれくらい対峙《たいじ》していただろうか。ボックスから出てきた夏美が、「お金、貸して」と小声で言った。

そう言ったきり、あとは何も言わなかった。

あの日、夏美は千円も持っていなかった。千円も持たずに実家を飛び出していた。すぐに財布を出した。財布に入っているだけの金を差し出した。気がつけば、「すいませんでした。ごめん……。ごめんなさい」と何度も謝っていた。

「……死ねないのよ」

とつぜん夏美は言った。そう言って涙を堪《こら》え、差し出した金をくしゃくしゃにしながら自分の財布に押し込んだ。

○

尾崎と再会したのは、当時、入院していた病院でした。

池袋駅で会ったときのような驚きはなかったように思います。ただ、なんというか、逃げても逃げても、結局、自分はあの夏から逃れられないんだなって、そんな諦めのほうが強かったように思います。

当時、親身に世話をしてくれた婦長さんの話では、週末のたびに尾崎は病院に来ていたようです。あるときは花を持って、またあるときはお菓子を持って。

尾崎がどうして私の居場所を知ったのかは分かりません。問いただす気力もありませんでした。顔の傷が癒《い》えた代わりに、心が少しおかしくなっていたんだと思います。青柳の元へ早く戻らないと、もっとひどい目に遭うと、思い込んでいたんだと思います。

精神科での治療を勧めてくれたのは、婦長さんでした。

青柳の暴力の原因は自分にあると思い込んでいる私をなだめ、「とにかく時間を置くことよ」と、少し東北訛《なま》りのある言葉で、優しく説得してくれたことを今でも覚えています。

何度かの入院中、青柳も、青柳の両親も、一度として面会には来ませんでした。ただ一度だけ、青柳の母から手紙をもらったことがあります。

息子を訴えるのであれば、こちらにも覚悟がある。先に私たちを騙《だま》したのはあなたのほうなのだから、とかいう内容でした。

初めのころは、傷が癒えるとすぐに自宅へ戻っていたのですが、婦長さんの勧めで、二ヶ月近く入院していたこともあります。そしてその週末ごとに尾崎は来ていました。病室にも入らず、ナースステーションに花や菓子を置いていくために。

○

欅に隠れるようにあった電話ボックスから出てきた夏美が、「お金、貸して」と言った夜から、もうどれくらい経《た》ったのだろうか。

金も持たずに家を飛び出して、偶然見かけた自分に電話をかけて、「死ねないのよ」と夏美が泣いたあの夜から、いったいどれくらいの月日が流れたのか。

「なんでもしてくれるって言ったじゃない。そう何度も手紙に書いてたじゃない！」

銀座の並木道で、夏美は叫んだ。

「なんでもしてくれるんでしょ！　だったら私より不幸になりなさいよ！　私の目の前で苦しんでよ！」

気がつけば、泣きじゃくる夏美の手を引いて、走ってきたタクシーに乗り込んでいた。

家へ連れて帰るつもりだったのか。

二人でどこかへ逃げるつもりだったのか。

一緒に死のうとでも言うつもりだったのか。

あのとき、思わずタクシーに乗り込んでから、いったいどれくらいの月日を彼女と過ごしてきただろうか。

二百万ほどの貯金など、三ヶ月も経たないうちになくなった。

彼女が北へ行くと言えば、黙ってついて行った。銀行で下ろした金を、その場で捨てろと言われれば、「君がそう望むなら」と素直に捨てた。そして、彼女が「死んでくれ」と泣けば、ただ謝るだけだった。

会社にも家族にも、婚約者の紗英にも一切連絡しなかった。失踪者《しっそうしゃ》として扱われているだろう自分が、すでに死んでしまったように思えたこともある。

あれはどこの町だったろうか。もう金もほとんど残っていなかった。本当に二人でこれから死ぬのかもしれないと、ぼんやりと考えていることも多くなっていた。

窓から吹雪の海岸が見下ろせる、とても小さな旅館だった。茶を持ってきた仲居が、どうしても宿帳に二人の名前を記入してくれと言った。決まりなのだと退《ひ》かなかった。

そのとき夏美が、「妻　かなこ」と書いたのだ。

仲居が去ったあと、彼女はとつぜん目の前で服を脱いだ。激しい吹雪が、窓ガラスを叩《たた》いていた。古い畳と、真っ白な彼女の身体《からだ》を、汚れた蛍光灯が照らす。

俊介は思わず目を逸《そ》らした。窓を叩く雪よりも、彼女の肌のほうが白かった。

「……あの夜、途中で帰った子の名前」と彼女は言った。

最初、何を言われたのか分からなかった。ひどく瘦《や》せた彼女の裸を前にして、どうしていいのか分からなかった。

「あの夜、先に帰った子の一人が『かなこ』っていうの」と彼女は続けた。

「あの夜よ。あんたたちが私を……。あの夜、私は、『かなこ』は先に帰ったのよ」

蛍光灯の下、彼女の裸体は痛々しく、無《む》惨《ざん》だった。気がつけば、俊介は蹲《うずくま》って泣いていた。

○

日めくりのカレンダーを一日一日めくっているような生活でした。ここでの尾崎との生活は、十二月三十一日の、次の日がない紙を、毎日毎日めくり続けているようなものでした。

一緒にここで暮らそうと言い出したのは、私からです。

私は誰かに許してほしかった。あの夜の若い自分の軽率な行動を、誰かに許してほしかった。でも……、でも、いくら頑張っても、誰も許してくれなかった……。

私は、私を許してくれる人が欲しかった。

あれは、たしか志摩のホテルに泊まっているときだったと思います。窓からは美しい入り江が一望でき、真珠の養殖場がありました。ただ、当時の私たちにとって、美しい景色はそのまま、死に場所のようにしか見えませんでした。

銀座で再会して以来、いろんな場所に行きました。もちろん行く当てなどなくて、来た電車に乗り、終着駅に着けば降り、そこで泊まれそうなホテルや旅館を探しました。口にはしませんでしたが、私は死に場所を探していたのだと思います。そして、おそらく尾崎もそれを分かって、一緒にいたのだと思います。

ある晩、客室のベランダから美しい入り江を眺めていると、いつの間にか尾崎が横に立っていました。結局、一睡もできずに、私は海を染める朝日を眺めていたんです。「眠れないんですか？」と尾崎は私に訊《き》きました。

私が答えずにいると、「俺、初めてぐっすり眠れましたよ」と、尾崎が笑ったんです。何かをふっきったような笑い方でした。

そのとき、ふと感じたんです。

ああ、この人もずっとあの夜から逃れられずにいたんだなぁって。あの夜から逃れて、自分だけが幸せになっていくことを、心のどこかで許せずにいたんだなぁって。

　そして今、自分を絶対に許してくれない私の前で、彼はやっと自然に息をしているんだなぁって。

「あの夜のことを思い出すことある？」って、私、訊いたんです。ずっと一緒に過ごしていながら、そんな話をしたのは初めてでした。

　彼はすごくびっくりしたようで、一瞬言葉を詰まらせたあと、「思い出さない日はなかった」って言いました。

「そんなの嘘《うそ》だ」って、私が言い返すと、彼は長い間黙り込んだあとで、こう言ったんです。

「あんな事件を起こした俺を、世間は許してくれるんですよ。驚くほどあっさりと許してくれるんです。もちろん嫌な顔をする男たちもいます。でも、心のどこかで、俺がやってしまったことを許しているというか、理解しているのが分かるんです。許すことで自分が男だってことを改めて確認するみたいに。だから、俺も自分で自分を許そうとしました。許さなければ、許してくれる男たちの中に入れなかったんです。そこにしか、生きていける場所がなかったんです」

　志摩のホテルを出て、各駅停車の電車で大阪へ向かいました。彼の貯金が底をついたのはその頃でした。

銀行から最後の二十万円を引き出してきた尾崎は、「あとは、あなたが決めて下さい」って言いました。私は、「どうしても、あなたが許せない」と言いました。「私が死んで、あなたが幸せになるのなら、私は絶対に死にたくない」と。「あなたが死んで、あなたの苦しみがなくなるのなら、私は決してあなたを死なせない」と。「だから私は死にもしないし、あなたの前から消えない。だって、私がいなくなれば、私は、あなたを許したことになってしまうから」と。

萌くんが亡《な》くなる三日ほど前のことでした。尾崎が萌くんとキャッチボールをしている姿を見かけました。

尾崎が投げるボールを、萌くんはうまく捕ることができなくて、手からこぼれていくボールを、楽しそうによちよち追いかけていたんです。

働いている温泉施設に警察が来て、尾崎と里美さんの関係について訊かれたとき、頭に浮かんでいたのは、このときの光景でした。

なぜかこの光景が頭から離れなかった。そして、気がついたら、私、尾崎と里美さんとのことで嘘をついていたんです。

○

その日、渡辺が自宅マンションへ戻ったのは、東の空も薄《うっす》らと明け始めた午前四時過ぎだった。

半日、水谷夏美のインタビュー録音を聞いていたせいもあり、心がささくれ立っていた。

彼女は決して、尾崎を陥《おとし》れたいと思っていたわけではない。そうではなくて、陥れたいと思わなければならないと感じていたのだ。では、なぜそんな気持ちになったのか。もちろん、それは尾崎が自分を犯した男だからだ。

いや、違う。

自分を犯した男ならば、陥れたいと思いはしても、陥れたいと思わなければならないはずはない。

そこにどんな違いがあるのか。考えれば考えるほど、信じ難い言葉が浮かんでくる。

愛している？　水谷夏美が尾崎を？　自分を犯した男を？

マンションのエントランスに入ると、渡辺は管理人室前のソファに座り込んだ。エレベーターで昇るだけの行為が、気が遠くなるほど億劫《おっくう》だった。

外を新聞配達らしいバイクが走っては停まり、停まってはまた走り出す。ふと子供のころに見たあの光景が浮かんでくる。

男たちに抱え上げられた母の姿。男たちの腕の間に見えた母の白い太腿《ふともも》。

なんで自分はあのあとラグビーを始めたのだろうか。あの光景を見てしまったとき、自分は何を思ったのだろうか。

自分は幼いころに見た何かに一生を台無しにされるような弱い人間なんかじゃない。弱いから虐《しいた》げられるのだ。だから強くなるのだと心に誓って生きてきた。怯《おび》えるか。それとも怯えさせるか。

「お前はどっち側の人間なんだ？」

あのとき、母を囲んでいた男たちの背中は、怯えた自分にそう語りかけてきた。

「お前はどっち側の人間なんだ？　お前は男か？　それとも……」

郵便受けに投函《とうかん》された新聞の音で、渡辺はふと我に返った。新聞は数軒の郵便受けに突っ込まれ、バイクが遠ざかっていく。

疲れた身体を腕で支えるようにソファから立ち上がった。エレベーターで四階へ上がると、多少、気持ちが落ち着いた。

真っ暗な自宅に渡辺は足音を忍ばせて入った。身体中が汗でべたべたしていた。すぐにでもシャワーを浴びたかった。

台所で水を飲んでいると、衝立《ついた》ての向こうのベッドから、早朝の物音を非難するような妻の咳払《せきばら》いが聞こえる。

「ごめん」

小さな声で謝ってみるが、目を覚ましているくせに返事もしない。

シャワーを浴びようと浴室へ向かっているときだった。背中に妻の舌打ちがはっきりと聞こえた。

自分でも何がどう作用したのか分からなかった。気がつけば、足音も気にせずに妻が眠るベッドへ向かっていた。

遮光カーテンをきっちりと閉めた寝室では、緑色に光るエアコンのランプさえ、眩《まぶ》しく見える。その緑の光に、アイマスクをつけた妻の寝顔が染まっている。

近寄ってきた渡辺の気配を感じたのか、妻の詩織が迷惑そうに寝返りを打つ。

冷房の効いた部屋だった。渡辺は詩織の身体にかかる薄いタオルケットを乱暴に剝《は》がした。まるで自分ではない誰かの手が動き、それを横で見ているようだった。

あまりにいきなりで、詩織が慌《あわ》てふためく。アイマスクを外しながら、タオルケットを足で探し、その上、起き上がろうとする。

一瞬のことだったが、その様子が滑稽《こっけい》だった。森の中で人の気配に怯える小動物のようだった。

「な、何よ？」

アイマスクを外した詩織が、渡辺を睨《にら》む。暗闇《くらやみ》に慣れたその視線があらぬ方を向いている。

渡辺は何も答えずに、詩織の身体に伸《の》しかかった。

「ちょ、ちょっと！」

この小さな身体のどこから出てくるのかと思えるほどの大声で詩織が拒み、暴れる足が渡辺の腰を蹴《け》る。それでも渡辺は放さなかった。汗で身体がヌルヌルしていた。肘《ひじ》で詩織の肩を押さえつけ、逃れようと暴れる詩織の唇に自分の唇を押しつけた。

詩織が激しく頭を振る。握りしめた拳《こぶし》で、渡辺はベッドのマットを殴った。底なし沼のように柔らかいマットだった。

どれくらい格闘していたのか、腕の間から逃げ出した詩織が、「出てって！」と怒鳴る声がした。

渡辺はベッドに仰向《あおむ》けになった。そのときやっと、自分がずっと呼吸を止めていたことに気づいた。

暗い部屋の中、詩織が目覚まし時計を投げつけた。棚に置かれた花瓶が割れた。耳を塞《ふさ》ぎたいほどうるさいはずなのに、自分の呼吸音しか聞こえなかった。

渡辺が何も言わずに起き上がると、大袈裟《おおげさ》な悲鳴を上げて、詩織は浴室へ逃げ込んだ。渡辺はさっき脱いだばかりの靴を履き、自分のマンションを出た。一日中履いていた靴は、まだ自分の体温で蒸れていた。不思議と呼吸は乱れていなかった。

詩織も逃げられなくなった女なのだとふと思う。俺のような男から、自分が選んでしまった生活から、一歩も出ていけなくなった女なのだ、と。

携帯が鳴ったのは、喉《のど》を潤《うるお》そうと自動販売機で水を買っているときだった。こんな時間にかかってくるのは、会社からの電話しか考えられない。一瞬、無視しようかとも思ったが、このまま自宅へ戻れるわけもなく、とすれば、帰る場所は会社しかない。

ポケットから携帯を取り出すと、表示に小林杏奈の名前があった。

「もしもし」

「すいません、こんな時間に。もしかして仮眠室にいます?」

「いや、家」

「すいません」

「いいよ。なんかあった?」

朝日が自動販売機を照らして眩しかった。また今日も暑くなりそうだった。

「尾崎が釈放されたらしいんですよ」

聞こえてきたのは、興奮を抑えた小林の声だった。

「釈放?」

静かな朝の町に自分の声が響く。

「ええ。水谷夏美が警察に話したらしいんです。証言は嘘だったって」

「それですぐ釈放かよ」

尾崎が釈放となれば、筋書きが大きく変わる。尾崎が萌くん殺しに関わっているからこそ、尾崎と夏美の今の関係を面白おかしく記事にできるのだ。尾崎の容疑が晴れた時点で記事は出しにくくなる。事件の被害者はもちろん、すでに刑期を終えた加害者の今の暮らしでさえ、そう簡単には表に出せない。

「夏美が証言を取り下げたからって、それですぐに釈放なんて……」

思わずそんな声が漏れた。

「警察から漏れてきた話だと、数日前から立花里美のほうも、すでに尾崎と関係があったというのは嘘だと供述を変えていたらしいんですよ」

「なんで今さら……」

言葉に詰まった。

「とにかくデスクがすぐに戻ってくるようにって。ページ差し替えるらしいですよ」

「警察は知ってるのか？　かなこが水谷夏美だって」

「さぁ、そこまでは伝わってきません。でも、知ってたとしても漏れてはこないんじゃないですか」

夏美はまだ尾崎と暮らし続けるつもりなのだ。夏美にも、もう帰る場所はないのだ。

○

照りつけていた日差しは、いつの間にか西に傾き、「せせらぎの郷温泉」のロビーのガラスを赤く染めている。嵌《は》め殺しの大きなガラスはよく磨かれ、手を伸ばせば屋外の芝生に触れられそうに見える。

幼い兄弟が湯上がりの火照《ほて》った顔に汗を浮かべて、ロビーのベンチからベンチへと跳び移って遊んでいる。父親はマッサージチェアーにでも座っているのか、兄弟を叱《しか》る者はおらず、跳び回りながら濡《ぬ》れたタオルで叩《たた》き合う音が、高い天井に響く。

俊介はベンチから立つと、受付横にある自動販売機で緑茶を買った。平日なのに夏休みシーズンで家族客が多いせいか、出てきた緑茶のボトルはまったく冷えていない。ぬるい緑茶を飲みながら、女湯のほうへ目を向けた。暖簾《のれん》の向こうから賑《にぎ》やかな笑い声は聞こえてくるが、かなこが出てきそうな気配はない。

釈放されて、まだ一晩しか経《た》っていなかった。昨夜遅く、ふいに釈放されることを伝えられ、不機嫌な若い刑事の運転で自宅へ戻った。

事件以来、記者たちが集まって騒がしかった団地の広場も、かなこと引っ越してきたばかりのころの耳を覆《おお》いたくなるほどの静けさに戻っていた。

警察の車を降りると、砂利を踏んで自宅へ戻った。いつものように玄関灯はついていなかったが、玄関ドアのガラスの向こうから微《かす》かに居間の明かりが漏れていた。その明かりを見た瞬間、どっと留置場暮らしの疲れが出た。

かなこはもうここにいないのではないか。

留置場でずっと浮かんでいた悪夢が消えた瞬間に、湿ったコンクリートの壁や、汚れた便器の臭《にお》い、隣の房から漏れてくる獣のような鼾《いびき》が一度に思い出された。

鍵《かぎ》を開けると、居間でテレビがつけられたのが分かった。テレビを見ていたふりをしようとしたらしい。俊介はわざと数秒、間を置いてからドアを開けた。

数日、留置場にいただけなのに、ドアを開けたとたん、家の匂《にお》いが懐《なつ》かしかった。大して長く暮らしていたわけでもないのに、確かにこの家、自分とかなこが暮らす家の匂いはこれだと分かった。

俊介は、「ただいま」と奥へ声をかけた。

しばらく待ったが、かなこの返事はなく、靴を脱いで居間へ向かう。たった数日間のことなのに、軋《きし》む廊下の感触まで懐かしい。たった数日、かなこと離れていただけなのに何もかもが懐かしかった。

青白い蛍光灯の下で、かなこはこちらに背中を向けてテレビを見ていた。

「ただいま」

その背中にもう一度、声をかけた。

ゆっくりと振り向いたかなこが、「おかえり」と、小声で言ったきり、じっと見つめてくる。

何をどう伝えればいいのか分からなかった。かなこがついた嘘《うそ》を責める気持ちなどもちろんない。かといって、かなこが真実を告げてくれたことに対して、「ありがとう」と礼を言えば、逆にかなこを傷つけてしまうに決まっている。

批難もできない、礼も言えない。

たぶん、それが自分たちの関係なのだと、改めて思い知らされる。

「炒飯《チャーハン》くらいなら作れるけど」とかなこは言った。

「炒飯か、食べたいな」と俊介は答えた。

椅子《いす》から立ち上がったかなこが、台所へ向かう。向かう途中、何も言わずに俊介の肩に手を置いた。俊介は自分の手をそこに重ねた。


かなこがとつぜん「せせらぎの郷温泉」に行こうと言い出したのは、蒸し暑い居間で昼食に素麺《そうめん》を啜《すす》っている最中だった。結局、何も話さぬまま一夜が明けていた。

「工場のほうは、戻れるんでしょ?」

「今朝、電話したら、『君もいろいろあるみたいだけど、うちは人手不足だから、君さえやる気があれば、明日からでも戻って来てほしい』って言ってもらえたよ」

たしか、そんな話をした直後だった。

食器を洗って、日盛りの外へ出た。渓谷の緑が青々と輝いていた。日陰を探すように市道を並んで歩いた。車が通り過ぎるたびに、汗が噴き出すような暑さだった。

「こんな暑い日でも、温泉客なんているのかな?」と俊介が尋ねると、かなこは額の汗を手のひらで拭《ぬぐ》いながら、「屋外の水風呂《みずぶろ》が気持ちいいから、平日でも混んでると思うよ」と答えた。

そう言われただけで、水風呂に浸《つ》かったような気持ちがした。渓谷を吹き抜けていく風が、微かに首筋を撫《な》でる。

受付で個室露天風呂は一時間待ちだと言われた。

受付にいたおばさんはかなこと顔見知りで、「割り込みさせてあげたいけど、それでも三十分は待つよ」と小声で言ってくれたが、かなこには五分も待つ気はなかったらしく、「だったら、別々でいいよね」と、さっさとチケットを買って女湯の暖簾をくぐってしまった。

応対したときには顔色を変えなかったが、かなこが女湯に姿を消すと、受付のおばさんが清掃中の別のおばさんに目配せしたのが俊介には見えた。

息子を殺した女。その女と自分の夫に肉体関係があったと嘘をついた女。反論もせずその嘘を認めた男。

この界隈《かいわい》でどんな噂《うわさ》が流れているのかは分からない。ただ、自分とかなこの本当の関係は、結局今のところ、どの雑誌にもテレビにも出てきていない。

男湯は空きロッカーを探すのも苦労するほど混み合っていた。施設の規模のわりに、極端に狭い脱衣所だった。裸の男たちがひしめき合い、その間を縫うように子供たちが駆け回っている。

服を脱ごうと肘を曲げると、横に立つ男の背中にぶつかる。ベンチに座って靴下を脱げば、毛の生えた汚い尻《しり》が目の前にある。

三十以上は蛇口のある洗い場も、すべて男たちの背中で埋まっていた。

俊介は転がっていた手桶《ておけ》を拾い、混み合った湯船から湯を浴びた。とろっとした感触は、きっと温泉の特質なのだろうが、ここまで人が多いと、不潔な感じがしてしまう。

屋内から逃げ出すように露天へ出た。湯を浴びた身体《からだ》に、谷間を吹き抜けてくる風が心地いい。さほど大きくはない露天風呂も、やはり客で混んでいて、近くにあった岩に腰かけ、場所が空くのを待っている者も多い。

俊介は浸かるのを諦《あきら》めて、渓流を見下ろせるテラスに立った。

風は心地良かったが、日を浴びたテラスの床は熱く、自分の汗なのか、さっき浴びた湯なのか、足元に黒い染《し》みを作っていく。

屋内の洗い場で、男の怒鳴り声が聞こえてきたのはそのときだった。

男の声は高い天井に反響し、何を言っているのか聞きとれないが、中年の男が髪を洗っている若者を何やら怒鳴りつけている。

泡が飛んだとか、かかった水が冷たいとか、他愛もないことらしいが、一斉に注目を浴びてしまった手前、中年の男も引っ込みがつかなくなったようで、男を無視して髪を洗い続ける若者の肩を小突く。

醜い諍《いさか》いに俊介が視線を渓流へ戻そうとしたとき、それまでずっと無視していた若者が、とつぜん立ち上がり、中年男の胸を殴った。足元で蹴《け》られた桶がカラカラと笑うように転がっていく。摑《つか》み合った二人の男を、そばにいた数人の男たちが止めに入る。身体と身体のぶつかり合う鈍い音と怒号が高い天井に反響し、いつまでも鳴り止《や》まない。熱くなった男たちを横目に、あちらこちらで失笑が起こっている。

俊介は騒ぎに背を向けて、改めて渓流へ視線を向けた。樹々《きぎ》の間を流れる川面《かわも》が、日を浴びてきらきらと輝いていた。


どれくらいぼんやりと女湯の暖簾を眺めていたのか、気がつけば、ぬるい緑茶も飲み干し、ベンチの上で騒いでいた兄弟もいなくなっていた。

握っていたボトルをゴミ箱に捨てようと立ち上がると、ふいに暖簾の奥からかなこが現れ、「ごめん、長く待ってた？」と声をかけてきた。

俊介は無言で首をふり、かなこの白い首筋に目を向けた。

「先に帰っててもよかったのに」

ボタンを外したシャツの胸元が火照っている。西日を浴びたガラスのように、胸元の肌が汗で光る。

「女湯も混んでたろ？」

下足箱のほうへ向かいながら、俊介は尋ねた。

「平日でも、この時間帯はだいたいこんなもんよ」

下足箱でそれぞれに靴を出して、目映《まばゆ》い外へ一歩出ると、冷房の効いたロビーにいたせいか、アスファルトから立ち上る熱気に、途端に汗が噴き出してくる。それでも一旦《いったん》汗を洗い流した身体から出る汗は、どこか清々《すがすが》しい。

ほとんどの客が車かバスで来ているらしく、赤い鉄橋へ歩いて向かうのは俊介とかなこの二人だけだった。日を受けて目映い白線に沿って歩く二人を、次々に車が追い越していく。

施設の敷地を出て、樹々が立ち並ぶ日陰に入ると、幾分、汗が引いた。車が通り過ぎてしまえば、ぺたぺたと鳴るかなこのサンダルと、谷底からの川音だけしか聞こえない。

「そう言えば、男湯で摑み合いの喧嘩《けんか》してたよ」

俊介はふと思い出してそう言った。

「風呂場で喧嘩する人って、案外多いらしいよ」とかなこが興味なさそうに答える。

「……私は一度も見なかったけど、男湯でも女湯でも喧嘩多いんだって。裸の付き合いなんて、一見、平和そうだけど」

なんということのない言葉だったが、俊介は思わずかなこの横顔を見つめてしまった。

また一台、車が走り抜けていく。

「裸の女同士の喧嘩って、なんか迫力ありそうだな」

わざとふざけた口調でそう言った。笑ってくれるかと思ったが、かなこは表情も変えずに歩き続ける。そして、「いつ頃だったかな、萌くんが亡《な》くなるちょっと前……」と唐突に話を変えた。

「萌くん？」

「ほら、団地の広場でずいぶん長い時間、一緒にキャッチボールしてたでしょ？　萌くんと」

「亡くなるちょっと前？」

記憶を辿《たど》るが思い出せない。

「ほら、ボールを高く投げて、それを萌くんが一生懸命受け取ろうとしてたじゃない。結局、一回も取れなかったけど」

そこまで言われて思い出した。

工場から自転車で戻ってくると、広場の砂利に緑色のビニールボールを埋めて遊んでいる萌の小さな背中があった。

なんとなく近寄って自転車を停めた俊介を、萌は睨《にら》みつけるように見上げた。萌の家のほうへ目を向けると、いつもは開けっ放しの門までしっかりと閉められていた。

俊介は砂利に埋められたビニールボールを手に取り、赤く染まり始めていた空に向かって思い切り投げ上げた。ボールは夕空に触れそうなほど高く上がり、一瞬、宙に静止してから真っすぐに落ちてくる。

しゃがんだままボールを見上げていた萌は、その高さに興味を持ったのか、砂利の上に落ちてきたボールを走って追いかけた。

拾ってきたボールを、萌が黙って差し出してくる。俊介はもう一度高く投げてやった。ひっくり返りそうなほど身体を反らせて、萌は空に浮かんだボールを目で追っていた。

どれくらいそんなことを繰り返していたのか、ふと背中に視線を感じて振り返ると、玄関先にかなこが立っていた。子供相手に本気でボールを投げていた自分が気恥ずかしくなり、照れ隠しに、「ただいま」と片手を挙げて見せたのだが、かなこは何も言わずに家へ入った。

「……俺、あの子に何かしてあげられたのかな？」

ふとそんな言葉が溢《あふ》れた。赤い鉄橋を渡り終えようとしていた。先を歩くかなこは振り返らない。

「なぁ、俺たち、あの子に何かしてあげられたんじゃないかな？」

かなこの背中に、もう一度そう声をかけた。立ち止まったかなこが、欄干に寄りかかり眼下の渓流に視線を落とす。柵《さく》の間から突き出された足先で、ピンク色のサンダルがゆらゆらと揺れている。

俊介は肘《ひじ》が触れ合うほどの場所で、同じように渓流を見下ろした。岩にぶつかり白い飛沫《しぶき》を上げる流れが、ひどく遠くに感じられる。

「……何にも言わないんだね」

かなこがサンダルを揺らしながら呟《つぶや》く。

「何にもって？」と俊介は訊《き》いた。

「私が嘘ついたせいで、何日も留置場に入れられて、嫌な思いしたんでしょ。ちょっとくらい怒ればいいのに」

「怒る？」

「だって、私の嘘で……」

「俺に、怒ってほしいのか？」

俊介はかなこの顔を覗《のぞ》き込んだ。すっと視線を逸《そ》らしたかなこが、「あなたが留置場に入ってるとき、あの渡辺って記者に、何もかも話したよ」と話を変える。

「何もかもって？」

「だから、何もかも。私が何をしても、あなたは怒れない。私たちはそういう関係なんだって」

「あの記者、なんか言ってたか？」

「……それで幸せなのかって。それで満足なのかって。頻《しき》りに訊いてた。だから、私、答えたのよ。『私たちは幸せになろうと思って、一緒にいるんじゃない』って」

そのときだった。かなこの爪先《つまさき》で揺れていたサンダルが、すっとそこから離れた。

「あっ」

思わず俊介は声を漏らした。

サンダルは音もなく川の流れに呑《の》まれた。緑を映した渓流をピンク色のサンダルが、浮かんでは沈み、沈んでは浮かんで流れていく。

「……私が決めることなのよね」

渓流に突き出された素足を見つめたまま、かなこが呟く。

○

賞味期限偽装を内部告発された食品会社の記者会見の時間が迫っていた。

渡辺はすでにここ数日で告発者であるパート職員たちの賃金や労働時間など、悲惨な待遇をまとめた資料を作り上げていたので、午後六時からの記者会見は小林一人に任せるつもりだった。

どうせ会社役員が一列に並び、「今後このようなことが起こらないように致します」と頭を下げるだけだろうから、次号の誌面に使えそうなコメントなど出てくるはずもない。

小林の席へ目を向けると、すでに記者会見に向かったのか、姿がなかった。渡辺は読み終えた完成原稿を改めて眺めながら、栄養ドリンクの蓋《ふた》を開けた。

桂川の事件には、すでに世間の視線も向けられなくなっている。毎日毎日様々な事件が起こる今、邪魔になった息子を母親が殺しただけなのだ。そんな事件は掃いて捨てるほどある。数週間、世間の関心が集まっただけでも珍しいほうなのだ。

渡辺の雑誌でも、すでに特集からは外されている。一応、尾崎と水谷夏美の人生をまとめあげたが、やはり記事にするのは難しいという判断が下されている。

渡辺は時計を見ると、椅子《いす》の上で大きく伸びをした。隣のデスクでは、同僚の記者がドライブ中のカップルを灯油で焼き殺した少年たちの記事を書いている。しばらく覗き込んでいると、「こういう事件、前にもあったよな？」と訊くので、曖昧《あいまい》に頷《うなず》いて席を立った。

ふと、桂川へ行ってみようと思ったのはそのときだった。特に目的があったわけではないが、何か一つ自分が知りたくて仕方なかったことを、訊き忘れているような気がした。歪《いびつ》な二人の関係を心のどこかで羨《うらや》んでいる自分がいる。ただ、その理由が分からない。

桂川の団地に到着したときには、すでに日が暮れていた。

もしかすると、すでに引っ越しているかもしれないと思っていたのだが、車を停めた広場から見える尾崎宅にはちゃんと明かりがついていた。

あんな騒ぎがあった家の隣に、そう簡単に借り手がつくはずもないので、明かりの中で尾崎たちがまだ暮らしているのは間違いなかった。

すっかり片がついてしまった事件現場はどこでもそうだが、あれほど騒然とした広場も今では虫の声しか聞こえない。

五分ほどなんとなく車内に留まっていると、尾崎宅の窓の明かりが消えた。そしてすぐに玄関から出てくる尾崎の姿が見えた。

渡辺は慌《あわ》てて車を降りた。玄関に鍵《かぎ》をかけ、尾崎が砂利を踏んで近づいてくる。ちらっとこちらに目を向けたが、そのまま表情も変えずに素通りしていく。

渡辺は黙ってあとを追った。ついてきているのは分かっているはずなのに、尾崎は抗議するどころか、振り返ろうともしない。

広場を横切った尾崎は、緩やかな下り坂から渓流沿いの市道へ出た。そのまま駅のほうへ向かうのかと思っていると、そこでやっと渡辺を振り返り、また何も言わずに渓流へ下りていけるらしい石段に足をかける。

渡辺も声をかけぬまま、あとに続いた。少し遅れて河原へ出ると、水辺に尾崎が立っていた。水面の青い月をじっと見つめている。

「お久しぶりですね」と、渡辺はその青白い横顔に声をかけた。しかし、月を眺めている尾崎の視線は動かない。

結局、記事は出さないことにしたと告げようかと思ったが、だとしたら、どうしてこんな所へ戻ってきたのかと訊かれそうでやめた。

渡辺は何も言わずに、尾崎の横に並んで立った。二人の目の前を月明かりに光る川が流れていく。

どれくらい青い月を乱す川の流れを眺めていただろうか。とつぜん足元の石を拾った尾崎が、水面で揺れる月をめがけて投げ込んだ。見事に月に当たった石が、音もなく水底へと沈んでいく。

「……最近、よくここに来るんですよ。夕涼みに」

尾崎がとつぜん口を開く。

「たしかに気持ちいいですね、ここ」と渡辺も応《こた》えた。

「考えてみれば、近くにこんな場所があるんだから、ここに来ればよかったんですよね。とにかく寝苦しくて、部屋の中で何度も寝返りを繰り返してるくらいなら、寝るのを諦《あきら》めてここに来れば、よかったんです」

急に饒舌《じょうぜつ》になった尾崎の横顔を渡辺は見た。笑っているようにも見えるし、とても疲れているようにも見える。

「あの、水谷……、いや、かなこさんと呼んだほうがいいでしょうね。かなこさん、お元気ですか？　いろんなことが続いて、お疲れでしょう」

渡辺の言葉に、また石を拾おうとした尾崎が、「まだ調べ続けるつもりですか？」と訊いてくる。

「いや、あれは表には出ませんので、安心して下さい」

尾崎の表情に変化はなく、握っていた石をまた川面《かわも》に映った月に投げる。

「デスクにも言われたんですが、今は個人情報の扱いにうるさいですから。元加害者と元被害者が、今は一緒に暮らしてるからって、僕らが批難できることじゃない」

気がつくと、そんな嘘《うそ》を並べていた。自分をレイプした男と、その後一緒に暮らしている女がいるのだ。奇異な人間の行動に飢えている多くの読者なら、すぐに飛びつくに違いない。

渡辺は尾崎を真似《まね》て足元の石を拾った。小さめの石を選んだつもりだったが、濡《ぬ》れた石はずっしりと手のひらに重かった。

「彼女なら、数日前に出ていきましたよ」

尾崎がそう呟いたのは、濡れた石が渡辺の手を離れたときだった。「え？」と聞き返した渡辺の声と、水に落ちた石の音が重なる。

「かなこさんが出て行ったんですか?」

「ええ。だから、もし彼女に何か話を聞こうと思って、ここにいらしたんなら……」

「いえ、ほんとにそんなつもりじゃ……。え? 本当に出て行ったんですか?」

「本当ですよ。そんな嘘ついても仕方ないでしょ」

尾崎が呆《あき》れたように笑い、夜空に向かって一つ大きな伸びをする。

「……ここでこうやって目を閉じると、マウンドに立ってるような気がするんですよ」

ふいに話を変えた尾崎が、身体《からだ》を伸ばしたまま目を閉じる。

「マウンド?」

まだ動揺していたが、渡辺はとりあえず話を合わせた。

「山に囲まれた感じが、球場に似てるのかな。川の流れが遠くに聞こえる歓声みたいで」

「あの、彼女から、連絡もないんですか? 突然いなくなったんですか?」

待ち切れずに渡辺は訊いた。

目を閉じたままの尾崎が、「置き手紙がありました」と呟く。

「置き手紙? 何て書いてあったんです?」

もしもここが球場ならば、寂しすぎる球場だった。

「さよならって……、そう書いてありました」

「さよなら、それだけですか？」

「それだけです」

「引き留めなかったんですか。だって……」

何か言葉をかけたいのだが、その言葉が浮かばない。

「そ、それでいいんですか？」と渡辺は訊いた。

少し驚いたように目を見開いた尾崎が、「こっちがよくなくても、どうしようもないことですから」と呟く。

「で、でも……」

数日前に小林に訊かれた言葉がふと浮かんだ。

あの尾崎って人は、水谷夏美を愛していたんでしょうか？　それともただの同情から引くに引けなくなったんでしょうか。

「……幸せになりそうだったんですよ」

「え？」

一瞬、何を言われたのか分からず、渡辺は訊き返した。

「だから、俺と彼女、幸せになりそうだったんです」

「だ、だったら、なればいいじゃないですか！」

思わず上げた渡辺の声が、暗い渓谷に響き渡る。その声に、尾崎が小さく笑う。

「……無理ですよ。一緒に不幸になるって約束したんです。そう約束したから、一緒にいられたんです」

「でも」と言いかけて、渡辺は言葉を呑んだ。

インタビューの最後で、かなこの呟いた言葉がふと蘇《よみがえ》る。

「私がいなくなれば、私は、あなたを許したことになってしまうから」

姿を消せば、許したことになる。一緒にいれば、幸せになってしまう。「さよなら」と書き置きしたかなこの言葉が、渡辺の胸に重く伸《の》しかかる。

「でも、それでいいんですか？　それじゃ、あまりにも……」

渡辺の掠《かす》れた声に、尾崎が大きく息を吐く。

「俺は……」

大きく息を吐いた尾崎が、川面で揺れる青い月に目を向ける。

「……俺は、探し出しますよ。どんなことをしても、彼女を見つけ出します」

尾崎の頬で月明かりが揺れている。

「……俺は彼女にとんでもないことをしてしまったんです。彼女は、俺を許す必要なんかないんです」

野球部寮の集会室の床で乱れていた毛布が目に浮かぶ。二人で幸せになってもいいじゃありませんか！　そう叫びたいのに、どうしてもそれが言えない。

言葉を失った渡辺を置いて、尾崎が立ち去ろうとする。

「あの……、一つだけ聞かせてもらえませんか？」

渡辺はその肩を慌てて摑《つか》んだ。

「……もし、あのときに戻れるとしたら、あなたは、また彼女を……」

自然とそんな質問が口から溢《あふ》れた。

「……あの事件を起こさなかった人生と、『かなこ』さんと出会えた人生と、どちらかを選べるなら、あなたはどっちを選びますか？」

尾崎は瞬《まばた》きもせずに、渡辺を見つめていた。その瞳《ひとみ》の奥に、渡辺は答えを見つけたような気がした。

解説

柳町光男

吉田修一はシネフィルか？

本当のところは判《わか》らない。でも相当な映画好きであることは容易に想像できる。吉田修一の小説には映画について語る場面が数多く登場するからだ。『さよなら渓谷』では池袋の映画館で俊介がジェーン・カンピオンの『ピアノレッスン』を観《み》るくだりがある。

……気が滅入《めい》るほど暗いシーンの連続だった。正直、十五分も経《た》つと、睡魔との戦いとなった。ときどき激しいピアノ曲が流れたときにだけ目が覚める。あとは字幕を読むのも億劫《おっくう》で……

その後、俊介が目を覚まして観た映画のラストでグランドピアノと女主人公が海中深く沈んでいくシーンが描写されるが、スクリーンの女主人公と観客席の女（俊介がレイプした夏美）を一瞬ダブらせる描写は、映画と現実と小説が一体となった感があり、ハッと息を呑《の》む。見事な融合である。

ただ、俊介をしてドラマティックな物語に入り込むことができなかったと書いた吉田修一は、カンヌ映画祭でパルム・ドールを獲《と》った『ピアノレッスン』が好きでなかったと言っていいだろう。

『悪人』では、殺人の容疑がかかった大学生の増尾圭吾の友人の鶴田が映画研究会に所属していて映画監督を目指している設定なので、シネフィル的な会話が展開する。

……バーテン相手にエリック・ロメールの映画について話をしていた……鶴田はロメールの『夏物語』が一番だと言い張る若いバーテンに、「いや、『クレールの膝《ひざ》』が一番いい」と言い返していた。

因《ちなみ》に、私もエリック・ロメールの数ある名作の中でとりわけ『クレールの膝』と『春のソナタ』が好きなので、吉田修一とは映画のテイストが合うかも知れない。

『東京湾景』では、佳乃《よしの》と美緒《みお》がミケランジェロ・アントニオーニの『太陽はひとりぼっち』について語っている。

「退屈よ……彼女が婚約者と別れるシーンから始まるでしょ？　部屋の中で何を話すわけでもなく、ふたりで行ったり来たりして……すでに睡魔に襲われてた」「何言ってんのよ、あのシーンがいいんじゃない。『いつ愛が消えたんだ？』って、婚約者に訊《き》かれたモニカ・ヴィッティが、『……ほんとに、分からないの』って答えるところなんて、ちょっと鳥肌立つくらいカッコいいじゃない」

二人の女性の異なる心情と性格を一本の映画を語らせて際立《きわだ》たせる。映画が上手《うま》く使われている。

アントニオーニと言えば大方の人が一番に挙げるのが『情事』。でも直截《ちょくさい》な主題表現が躱《かわ》され、画面の遠近法がより冴《さ》える『太陽はひとりぼっち』の方が好きな私は、ここでもまた吉田修一と共通する映画観を感じてしまう。

『パレード』では、吉田修一の映画好きが高じたのだろう、主人公の伊原直輝を映画配給会社勤務にしている。相当数の映画が登場する。直輝が子供の頃観たという『2001年宇宙の旅』や『ひまわり』や『アラビアのロレンス』や『エクソシスト』などの題名には驚かないが、相馬未来が観るレイプシーンが出てくる欧米の映画を列挙するくだりは、たくさんの映画を観てきた吉田修一の面目躍如だ。多くのレイプ映画が小説の中で小気味よく踊り、レイプ映画を観る男の気持ちが奥深くまで表現されていることに感心する。

ジョディ・フォスターがピンボールマシンの上で犯される『告発の行方』や『雨に唄《うた》えば』のリズムに乗って女が犯される『時計じかけのオレンジ』に始まり、『ブルーベルベット』、『テルマ&ルイーズ』、『わらの犬』、『ベイビー・オブ・マコン』、『処女の泉』、更には既に誰もが忘れてしまったようなB級映画で、確かに強烈なレイプシーンが目立つマーク・L・レスターの『処刑教室』と、『クリスチーネ・F』や『BODY　ボディ』を作ったドイツ人監督ウーリー・エデルの『ブルックリン最終出口』までが挙げられているのには思わず手を叩《たた》いてしまった。

レイプ事件を扱った『さよなら渓谷』がその後に書かれるのは、一体どんな因果関係があるのだろう？　大学のスポーツ部の実際のレイプ事件が材になったと思うが、吉田修一の深層意識には無尽の興味が湧《わ》く。

大学の映画研究会に所属する学生や、映画配給会社勤務の青年や、はたまた『静かな爆弾』でテレビ局の気鋭のディレクターを登場させた吉田修一は実は若い頃映画監督を目指していたのかも知れない。実際、2005年に短編映画『Water』を脚本監督し、その後、『悪人』の映画化では自ら主張して脚本を書いている。

ただ、そのように映画の脚本を書き、監督をした小説家は珍しくなく日本にも世界にも結構いる。ここで私が強調したいのは、吉田修一は紛れもなく真底映画が大好きな小説家だということである。

吉田修一は映画を数多く観てきた小説家だ。映画が好きな小説家、数多くの映画を観る小説家は多いと思うが、吉田修一はその中でも際立っていると言っていいだろう。

さて、『さよなら渓谷』である。私が読んだ吉田修一の小説の中で一番映画を感じた小説である。読みながら私の頭の中で何本もの名作と言われる映画が駆け巡った。小説の随所で映画的な映像が思い浮かんだ。小説の中に実に多くの映画的な要素が詰め込まれていると思った。

物語は、秋田県で起きた実際の幼児殺害事件をヒントにした子殺しの母親の話で始まり、読者は当然この事件と母親が中心に展開して行くものと思う。ところが、あっという間に物語は隣の家に住む若い男女のミステリアスな過去を含んだ話にすり替わって行く。

この主題と主人公のすり替わりがなんとも映画的だ。アルフレッド・ヒッチコックの映画みたいではないか。例えば、『サイコ』では、冒頭、会社のお金を横領して逃走するジャネット・リーを追う。当時スター女優のドラマが当然続くのだろうと観客は思うが、彼女はあっという間にあの有名なモーテルのシャワーシーンで殺害され、その後はモーテル経営者のアンソニー・パーキンスが主人公に入れ替わる。

ヒッチコック映画の特徴のひとつだが、主題も情景も最も遠いところから始まって最も近いところへと移動して行く。観客のありきたりな予想を裏切り、驚かせ、意外なところ、実はそれが映画の中核で、そこへ巧みに導いて行くようになっている。時には急激に、時にはらせん階段を昇るように。

息子殺害の里美の家と、俊介とかなこの家が市営団地の隣り合わせというのも映画的である。私は大いに刺激を受けた。私の観点からすると、ここに映画の映画たる所以《ゆえん》のひとつがある。〈隣の家〉のたとえ一方の家しか画面に映っていなくても、もう一軒の家で何が起っているかが同時に且《か》つ容易に想像でき、空間的にも時間的にも映画的要素が濃密である。そして、そこには〈境界〉のテーマとイメージが用意されている。

〈隣の家〉の物語と言えば、フランソワ・トリュフォーの名作『隣の女』がある。隣の家に住む二組の夫婦の愛の物語がそれぞれの家が見えてしまう近い空間を実に上手く使って展開する。クリント・イーストウッドの『グラン・トリノ』も〈隣の家〉の物語である。驚くべきことに映画の六割ぐらいが〈隣の家〉と垣根を挟んだ庭と通路とポーチで撮影されている。正に〈境界の映画〉になっている。

〈隣の家〉を〈隣の部屋〉や〈向かいの部屋〉まで押し広げると、更に多くの映画が該当する。先《ま》ずはその空間の妙を最大限活用したヒッチコックの傑作『裏窓』。中庭を挟んだ向かいの部屋の美しい女性を垣間《かいま》見、惚《ほ》れてしまう男性の話では、スタンリー・キューブリックの『非情の罠《わな》』、マリリン・モンローとリチャード・ウィドマーク共演でロイ・ウォード・ベイカーの『ノックは無用』、パトリス・ルコントの『仕立て屋の恋』、最近ではマノエル・デ・オリヴェイラの『ブロンド少女は過激に美しく』…etc。数多くの映画が網にかかってくる。映画を魅力的にしているのは無論、その距離と空間の演出。

『さよなら渓谷』は16年前に起きたレイプ事件がトラウマになった女性と加害者の物語だが、私は、25年前の少年時代に受けた性的暴力がトラウマになったティム・ロビンスが実質的な主人公のイーストウッドの映画『ミスティック・リバー』を想起してしまう。性的事件のトラウマの他にも両者をつなぐものがある。後者ではボストンの町を流れる大きな川が登場人物たちの波乱の人生を静かに包み込むように映し出され、ラストの殺人は夜の水際で撮影される。『さよなら渓谷』の桂川は小さな河川だが物語の中で同じような役割を担《にな》い、描写される。冒頭、少年の死体が発見されるのが桂川で、ラスト、かなこが去った後に俊介と渡辺が語り合うのも、川面に月が揺らぐ夜の桂川だ。

吉田修一がイーストウッドの『ミスティック・リバー』を観ているかいないかはどちらでも良い。小説『さよなら渓谷』には真に映画的な要素が多く含まれていることだけは確かなのである。

レイプ事件の加害者と被害者が何故《なにゆえ》一緒に暮らしているのか？　物語の臍《へそ》になる部分だ。一緒に暮らす現在もそうだが、レイプをされて大きな心の傷を負った夏美が、許しを乞《こ》う俊介を頑として撥《は》ねつける様子は心の傷の深さと女性の性と業のようなものを表現している。夏美は何度も俊介を冷たくあしらう。池袋の路上で、病院で、旅先で。

ふと、ここで私は成瀬巳喜男《みきお》の『乱れ雲』を連想する。交通事故で夫を失った司葉子がその事故の加害者である加山雄三からの愛を感じ、激しく拒絶するシーンがある。

「……どうして会うんでしょう。私がせっかく忘れようとしているのに……どっかへ行ってしまって、もう二度と会わないような遠い所へ行ってしまって！……」

温泉旅館の広いロビーで偶然遭った二人の、特に真情を噴出させる司葉子の動きと陰影ある表情を捉《とら》えた撮影と場面演出が、鳥肌が立つ程に素晴らしいのだが、『さよなら渓谷』の俊介とかなこ（＝夏美）の幾重にも倒錯した愛憎関係は、そのような美しい映画の名場面を喚起させる力がある。『さよなら渓谷』には登場人物のエモーションを映画の画面に焼き付ける原質が用意されている、と言ってもいい。

成瀬巳喜男の映画が出たついでに次のことも言っておきたい。

夏美と俊介が行く当てもなく死に場所を探すように電車を乗り継ぎながら旅を続けるくだりは、もしも私が『さよなら渓谷』を映画化するなら、『乱れる』で高峰秀子と義弟役の加山雄三が沼津から山形県の銀山温泉まで列車で行く、言わば〈道行き〉の場面を意識しないわけにはいかない。二人を乗せた列車が繰り返し繰り返し画面の奥に去って行く完璧《かんぺき》な構図の美しいロングショットの連続に、二人の運命の全《すべ》てが表現されていた。

映画との連関性はまだまだある。かなこと俊介の16年間の回想形式には映画の強めの匂《にお》いがある。回想形式は映画が得意とする表現方法である。伝統的に欧米の映画に成功例が多く、残念ながら日本映画では少ない。現在と過去の時間の衝突の意味と効果を知り尽くし、豊かな映画として表現しきった映画が何本も思い当たるが、ここでは挙げないことにする。読者の皆さんに篤《とく》と思い起こしていただきたい。

『さよなら渓谷』は映画監督を刺激する小説である。小説を読んだ映画監督たちは、それぞれが様々な映像を頭の中で編み上げることだろう。

何故、それほどに刺激してくるか？

それは、吉田修一がこれまで観てきた数多くの映画が彼の血となり肉となっていて、それが取りも直さず『さよなら渓谷』に色濃く擦り込まれ、映画的な小説に相成ったからだと言えないだろうか。

（平成二十二年九月、映画監督）

この作品は平成二十年六月新潮社より刊行された。

吉田修一著

東京湾景

品川埠頭とお台場、海を渡って再び恋のキセキが生まれる。湾岸を恋の聖地に変えた傑作小説に、新ストーリーを加えた増補版！

吉田修一著

長崎乱楽坂

人面獣心の荒くれどもの棲む三村の家で、駿は幽霊をみつけた……。高度成長期の地方侠家を舞台に幼い心の成長を描く力作長編。

吉田修一著

7月24日通り

私が恋の主役でいいのかな。港が見えるリスボンみたいなこの町で、OL小百合が出会った奇跡。恋する勇気がわいてくる傑作長編！

吉田修一著

キャンセルされた街の案内

あの頃、僕は誰もいない街の観光ガイドだった……。脆くてがむしゃらな若者たちの日々を鮮やかに切り取った10ピースの物語。

吉田修一著

愛に乱暴（上・下）

帰らぬ夫、迫る女の影、唸りを上げる×××。予測を裏切る結末に呆然、感涙。不倫騒動に巻き込まれた主婦桃子の闘争と冒険の物語。

吉田修一著

湖の女たち

寝たきりの老人を殺したのは誰か？　吸い寄せられるように湖畔に集まる刑事、被疑者の女、週刊誌記者……。著者の新たな代表作。

角田光代著 さがしもの

「おばあちゃん、幽霊になってもこれが読みたかったの?」運命を変え、世界につながる小さな魔法「本」への愛にあふれた短編集。

角田光代著 くまちゃん

この人は私の人生を変えてくれる? ふる/ふられるでつながった男女の輪に、恋の理想と現実を描く共感度満点の「ふられ小説」。

角田光代著 しあわせのねだん

私たちはお金を使うとき、べつのものも確実に手に入れている。家計簿名人のカクタさんがサイフの中身を大公開してお金の謎に迫る。

川上弘美著 センセイの鞄 谷崎潤一郎賞受賞

独り暮らしのツキコさんと年の離れたセンセイの、あわあわと、色濃く流れる日々。あらゆる世代の共感を呼んだ川上文学の代表作。

川上弘美著 ニシノユキヒコの恋と冒険

姿よしセックスよし、女性には優しくこまめ。なのに必ず去られる。真実の愛を求めさまよった男ニシノのおかしくも切ないその人生。

川上弘美著 古道具 中野商店

てのひらのぬくみを宿すなつかしい品々。小さな古道具店を舞台に、年の離れた4人のもどかしい恋と幸福な日常をえがく傑作長編。

畠中恵著

しゃばけ

日本ファンタジーノベル大賞優秀賞受賞

大店の若だんな一太郎は、めっぽう体が弱い。なのに猟奇事件に巻き込まれ、仲間の妖怪と解決に乗り出すことに。大江戸人情捕物帖。

畠中恵著

ぬしさまへ

毒饅頭に泣く布団。おまけに手代の仁吉に恋人だって？　病弱若だんな一太郎の周りは妖怪がいっぱい。ついでに難事件もめいっぱい。

畠中恵著

ねこのばば

あの一太郎が、お代わりだって?!　福の神のお陰か、それとも…。病弱若だんなと妖怪たちの「しゃばけ」シリーズ第三弾、全五篇。

宮部みゆき著

幻色江戸ごよみ

江戸の市井を生きる人びとの哀歓と、巷の怪異を四季の移り変わりと共にたどる。〝時代小説作家〟宮部みゆきが新境地を開いた12編。

宮部みゆき著

かまいたち

夜な夜な出没して江戸を恐怖に陥れる辻斬り〝かまいたち〟の正体に迫る町娘。サスペンス満点の表題作はじめ四編収録の時代短編集。

宮部みゆき著

ほのぼのお徒歩《かち》日記

江戸を、日本を、国民作家が歩き、食べ、語り尽くす。著者初のエッセイ集『平成お徒歩日記』に書き下ろし一編を加えた新装完全版。

宮本輝著

流転の海 第一部

理不尽で我儘で好色な男の周辺に生起する幾多の波瀾。父と子の関係を軸に戦後生活の有為転変を力強く描く、著者畢生の大作。

宮本輝著

地の星 流転の海第二部

人間の縁の不思議、父祖の地のもたらす血の騒ぎ……。事業の志半ばで、郷里・南宇和に引きこもった松坂熊吾の雌伏の三年を描く。

宮本輝著

血脈の火 流転の海第三部

老母の失踪、洞爺丸台風の一撃……大阪へ戻った松坂熊吾一家を、復興期の日本の荒波が翻弄する。壮大な人間ドラマ第三部。

湯本香樹実著

夏の庭 ―The Friends―

米ミルドレッド・バチェルダー賞受賞

死への興味から、生ける屍のような老人を「観察」し始めた少年たち。いつしか双方の間に、深く不思議な交流が生まれるのだが……。

湯本香樹実著

ポプラの秋

不気味な大家のおばあさんは、ある日私に奇妙な話を持ちかけた――。『夏の庭』で世界中の注目を浴びた著者が贈る文庫書下ろし。

湯本香樹実著

春のオルガン

いったい私はどんな大人になるんだろう？小学校卒業式後の春休み、子供から大人へとゆれ動く12歳の気持ちを描いた傑作少女小説。

唯川恵著 **とける、とろける**

彼となら、私はどんな淫らなことだってできる――果てしない欲望と快楽に堕ちていく女たちを描く、著者初めての官能恋愛小説集。

唯川恵著 **ため息の時間**

男はいつも、女にしてやられる――。裏切られても、傷つけられても、性懲りもなく惹かれあってしまう男と女のための恋愛小説集。

山本文緒著 **自転しながら公転する**
中央公論文芸賞・島清恋愛文学賞受賞

恋愛、仕事、家族のこと。全部がんばるなんて私には無理！ ぐるぐる思い悩む都がたどり着いた答えは――。共感度100％の傑作長編。

池澤夏樹著 **マシアス・ギリの失脚**
谷崎潤一郎賞受賞

のどかな南洋の島国の独裁者を、島人たちの噂でも巫女の霊力でもない不思議な力が包み込む。物語に浸る楽しみに満ちた傑作長編。

石田衣良著 **清く貧しく美しく**

30歳・ネット通販の巨大倉庫で働く堅志と28歳・スーパーのパート勤務の日菜子。非正規カップルの不器用だけどやさしい恋の行方は。

石田衣良著 **4TEEN【フォーティーン】**
直木賞受賞

ぼくらはきっと空だって飛べる！ 月島の街で成長する14歳の中学生4人組の、爽快でちょっと切ない青春ストーリー。直木賞受賞作。

新潮文庫最新刊

畠中恵著
もういちど
若だんなが赤ん坊に!? でも、小さくなっても頭脳は同じ。子ども姿で事件を次々と解決! 驚きと優しさあふれるシリーズ第20弾。

朱野帰子著
わたし、定時で帰ります。3
―仁義なき賃上げ闘争編―
生活残業の問題を解決するため、社員の給料アップを提案する東山結衣だが、社内政治に巻き込まれてしまう。大人気シリーズ第三弾。

門井慶喜著
地中の星
―東京初の地下鉄走る―
大隈重信や渋沢栄一を口説き、知識も経験もゼロから地下鉄を開業させた、実業家早川徳次の波瀾万丈の生涯。東京、ここから始まる。

古川日出男著
女たち三百人の裏切りの書
読売文学賞・野間文芸新人賞受賞
源氏物語が世に出回り百年あまり、紫式部が怨霊となって蘇る!? 嘘と欲望渦巻く、女たちの裏切りによる全く新しい源氏物語――。

望月諒子著
大絵画展
日本ミステリー文学大賞新人賞受賞
180億円で落札されたゴッホ『医師ガシェの肖像』。膨大な借金を負った荘介と茜は、絵画強奪を持ちかけられ……傑作美術ミステリー。

玉岡かおる著
帆神
―北前船を馳せた男・工楽松右衛門―
新田次郎文学賞・舟橋聖一文学賞受賞
日本中の船に俺の発明した帆をかけてみせる――。「松右衛門帆」を発明し、海運流通に革命を起こした工楽松右衛門を描く歴史長編。

さよなら渓《けい》谷《こく》

新潮文庫　よ - 27 - 4

平成二十二年十二月一日発行
令和五年十二月十五日十刷

著者　吉《よし》田《だ》修《しゅう》一《いち》
発行者　佐藤隆信
発行所　株式会社 新潮社

郵便番号　一六二―八七一一
東京都新宿区矢来町七一
電話　編集部(〇三)三二六六―五四四〇
読者係(〇三)三二六六―五一一一
https://www.shinchosha.co.jp

価格はカバーに表示してあります。

乱丁・落丁本は、ご面倒ですが小社読者係宛ご送付ください。送料小社負担にてお取替えいたします。

印刷・錦明印刷株式会社　製本・加藤製本株式会社

ISBN978-4-10-128754-6 C0193